TRZCINA CHĘCIŃSKI WŁOCŁAWE
WSZĘDZIE POSŁOWIE PŁÓTNO ŁU
GAŁCZYŃSKI BĄK DŁOŃ GĄBCZA
GRZEGORZ PRZERĘBEL ŚRODA DRZEWO BUKARESZT
SZLACHTA KASZKIET GRZĄDKA DESZCZ MŁODZIEŻ
ULĘGAŁKA DŻDŻOWNICA PATRZĄ DURSZLAK MŁOT
WRZEŚNIOWY ZAPAŚNIK MAŁOMIASTECZKOWY USZY
SŁOTA RZECZ KORZYŚĆ PUŁTUSK ŚCIERAĆ POŚPIECH
PRZEPAŚĆ JUTRZNIA NAJCZĘŚCIEJ MARZYCIEL WĄŻ
SZCZEBRZESZYNIANIE NOŻYCZKI ZDRÓJ SZCZĘŚCIE
PÓŁWYSEP ŁYŻKA TRZMIEL TYSIĄCKROTNIE CHRZAN
GŻEGŻÓŁKA BAŻANT PRZEŁĘCZ BŁAŻEJ KORZENIE
MIESZCZANKA GORĄCZKA SZCZEPANIK MIESZANIEC
CIĄŻA STRÓŻ BRZESZCZOT SZCZOTECZKA WIESZCZ
MIECZYSŁAW KRZESŁO CZEREŚNIOWY UŻYTKOWOŚĆ
HUCZEĆ JASTRZĄB RÓŻNICOWY GRZĄSKI WĘŻSZA
WAŁKOŃ WROCŁAW CZESZE GRZEBIEŃ HORTENSJA
BŁYSKAWICA KOŁOBRZEG ŁABĘDŹ WŁASNOŚCIOWE
WRZESZCZ BYĆ MAŁOPOLSKI DZIECIŃSTWO POŚCIEL
TCZEW WIERZCHOŁEK BOGUMIŁ PIĄTY PRZESTRZEŃ
PAŹDZIERNIK TRZEJ MŁODOŻENIEC WAŻKA WĘDKA
POMARAŃCZA GRZECHOTNIK PASZTET ZWIERZĄTKO

JOANNA STANEK

FONETYKA
polski w praktyce

C2

C1

B2

B1

A2

A1

Szkoła Języka Polskiego
Glossa

Książka składa się z części teoretycznej oraz praktycznych materiałów do intensywnego i efektywnego treningu wymowy. Uporządkowanie zadań według tematów i stopnia trudności ułatwi nauczycielowi dobór ćwiczeń optymalnie dopasowanych do grupy. Poszczególne rozdziały pozwolą skutecznie wyeliminować najbardziej typowe błędy oraz pomogą rozwiązać problemy fonetyczne poszczególnych narodowości – wszak każda nacja ma swoją „piętę Achillesa".

If you are a beginner, start with part B. You can do the exercises step-by-step or select those that deal with sounds that are difficult for you. If you know Polish at a higher level, have a look at the theoretical part A as well. Translations of instructions into different languages and an interactive version of the exercises can be found at e-polish.eu.

WSTĘP
INTRODUCTION

Najważniejsze zasady fonetyki języka polskiego w ujęciu praktycznym – zajrzyj tu, jeśli chcesz zgłębić teorię.

The most important phonetic rules of the Polish language in practical terms – have a look here if you want to explore the theory.

ĆWICZENIA WSTĘPNE
INTRODUCTORY EXERCISES

Od alfabetu po łamańce językowe – oceń, co warto poćwiczyć.

From the alphabet to tongue twisters – find out what is worth practicing.

SPECYFICZNE TRUDNOŚCI
SPECIFIC DIFFICULTIES

Wykonaj ćwiczenia poświęcone poszczególnym dźwiękom i uniknij typowych błędów wymowy.

Do the exercises focused on particular sounds and avoid typical pronunciation errors.

WARSZTATY TEMATYCZNE
THEMATIC WORKSHOPS

Ćwicz fonetykę utrwalając podstawowe słownictwo i zwroty.

Practise phonetics by reviewing basic vocabulary and phrases.

FONETYKA

SPIS TREŚCI CONTENTS

JAK ĆWICZYĆ WYMOWĘ? 6

NARZĄDY MOWY 7

A

WSTĘP 8

01 ALFABET POLSKI 9

02 SAMOGŁOSKI 11

03 SPÓŁGŁOSKI 16

04 AKCENT WYRAZOWY 28

B

ĆWICZENIA WSTĘPNE 30

01 ALFABET 31

02 ONOMATOPEJE 34

03 NAZWY WŁASNE 37

04 PARONIMY 40

05 GRY FONETYCZNE 41

06 ŁAMAŃCE JĘZYKOWE 44

C

SPECYFICZNE TRUDNOŚCI 46

01 AKCENT 47

02 E / Y / I 49

03 Ą / Ę 52

04 B / W 55

05 R / L 57

06 L / Ł 60

07 Ł / W 62

08 PODWÓJNE GŁOSKI 64

09 Ś, Ź, Ć, DŹ 65

10 SZ, Ż, CZ, DŻ 68

11 S / Ś / SZ, Z / Ź / Ż, C / Ć / CZ,
DZ / DŹ / DŻ 71

12 TRZ / DRZ / WRZ / PRZ 74

13 SZCZ / ŚĆ 77

D

WARSZTATY TEMATYCZNE 80

01 RZECZY W KLASIE 81

02 PREZENTACJA OSOBY 82

03 HOBBY 84

04 JEDZENIE 86

05 RODZINA 90

06 SPOTKANIE, RUTYNA 94

07 ZWIEDZANIE, MIASTO 96

08 ZAKUPY 99

09 POGODA 101

10 MIESZKANIE 103

11 PODRÓŻE 107

12 ŻYCIORYS 111

13 UBRANIA 113

14 CIAŁO, ZDROWIE 116

WIERSZE 119

KLUCZ ODPOWIEDZI 122

Skorzystaj z wersji multimedialnej
słownika poszerzonej o nagrania:

*Use the multimedia version of the
dictionary which includes recordings:*

online-polish-dictionary.com

Pobierz nagrania z:
Download recordings from:
e-polish.eu/fonetyka

JAK ĆWICZYĆ WYMOWĘ?

Jak mam wydobyć ten dźwięk?! Nigdy tego nie przeczytam! Dlaczego wciąż mnie nie rozumieją?! Wymowa języka polskiego często rodzi frustrację, problem istnieje nawet po wielu miesiącach nauki. Niestety trudności z wymową nie znikają same: trzeba ćwiczyć, ćwiczyć, ćwiczyć...

NAUCZYCIELU:

- Mów wolno i wyraźnie, prezentując nowe głoski nie bój się przerysowywać mimiki.
- Pamiętaj, że ćwiczenia doskonalące słuch fonetyczny powinny poprzedzać te, nakierowane na trening artykulacji (student nie przeczyta poprawnie pary minimalnej, jeśli nie słyszy różnicy między słowami).
- Korzystaj z lusterek – studenci zwykle mają smartfony, które można w tej roli wykorzystać.
- Nie staraj się wykonywać wszystkich ćwiczeń z książki – wybierz te zagadnienia, które dla twoich uczniów są najbardziej kłopotliwe.
- Nie zapominaj o fonetyce po pierwszych kilku lekcjach – regularnie ćwicz konkretne trudności (→ część B) i wplataj w tok lekcji ćwiczenia dostosowane leksykalnie do kolejnych tematów (→ część C).
- Ćwiczenia fonetyczne nie powinny zajmować więcej niż 5-10 minut czasu lekcji. Nie próbuj wykonywać całego warsztatu na jednej lekcji. Wystarczy jedno ćwiczenie. Skróć bądź przerwij je, jeśli widzisz oznaki znużenia.
- Ćwiczenia fonetyczne świetnie sprawdzają się jako rozgrzewka, rozluźniający przerywnik lub wypełnienie ostatnich kilku minut.
- Stopniuj trudność ćwiczeń i uważnie obserwuj reakcję uczniów. Łamańce językowe mogą być świetną zabawą, ale i powodem frustracji.
- Zachęcaj do słuchania polskiej muzyki i oglądania filmów w polskiej wersji językowej.

STUDENCIE:

- Zacznij od ćwiczeń wstępnych – pomogą ci się zorientować, które zagadnienia są dla ciebie najtrudniejsze.
- Ćwicz przed lustrem prawidłową artykulację polskich głosek.
- W części B śmiało możesz ominąć te podrozdziały, które nie sprawiają ci kłopotu – skoncentruj się na tym, co naprawdę trudne.
- Poznając słownictwo z nowego obszaru leksykalnego, sięgaj po ćwiczenia z części C – pozwolą ci jednocześnie trenować wymowę i utrwalać nowe słowa.
- Wracaj do ćwiczeń fonetycznych regularnie, nawet jeśli twoja wymowa jest już dość dobra.
- Najpierw zawsze słuchaj nagrania, nawet kilkukrotnie, następnie powtarzaj fragmenty za lektorem, dopiero na końcu czytaj samodzielnie.
- Nagrywaj się i słuchaj nagrania – łatwiej wyłapiesz swoje usterki w wymowie.
- Słuchając tekstu lub dialogu, zatrzymuj nagranie po krótkim fragmencie i staraj się jak najdokładniej je powtórzyć, pamiętając o intonacji oraz akcencie wyrazowym i zdaniowym.
- Śpiewaj polskie piosenki.

PAMIĘTAJ: TRENING CZYNI MISTRZA!

HOW TO PRACTICE PRONUNCIATION?

- *Start with introductory exercises – they will help you find out which issues are the most difficult for you.*
- *Practice the correct articulation of Polish sounds in front of a mirror.*
- *In part B you can skip the subsections that do not cause you any trouble – concentrate on what is really difficult.*
- *When learning vocabulary from a new lexical area, do the exercises from part C – they will allow you to practice your pronunciation and memorise new words at the same time.*
- *Return to phonetic exercises regularly, even if your pronunciation is already quite good.*
- *First, always listen to the recording, even a few times, then repeat the passages after the speaker, and read them by yourself only after that.*
- *Record yourself and listen to the recording – it will be easier to catch your pronunciation errors.*
- *When listening to a text or dialogue, stop the recording after a short fragment and try to repeat it as accurately as possible, bearing in mind the intonation and stress of the words and sentence.*
- *Sing Polish songs.*
- *Remember: Practice makes perfect!*

NARZĄDY MOWY SPEECH ORGANS

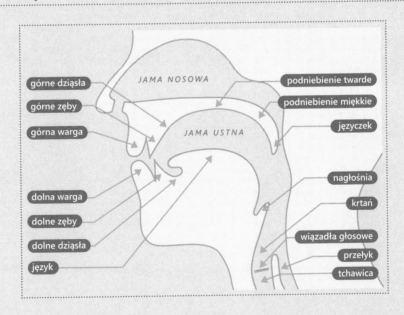

JAMA NOSOWA	
górne dziąsła	podniebienie twarde
górne zęby	podniebienie miękkie
górna warga	języczek
JAMA USTNA	
	nagłośnia
dolna warga	krtań
dolne zęby	wiązadła głosowe
dolne dziąsła	przełyk
język	tchawica

WSTĘP

01 ALFABET POLSKI 9

02 SAMOGŁOSKI 11

    i / y / e 12

    ą / ę 13

03 SPÓŁGŁOSKI 16

    b / w 18

    r / l 18

    l / ł 20

    ł / w 21

    Podwójne głoski 22

    Szereg syczący, szumiący i ciszący 22

    Udźwięcznienia i ubezdźwięcznienia 25

04 AKCENT WYRAZOWY 28

ALFABET POLSKI

Poniższa tabela przedstawia alfabet polski wraz z fonetycznym zapisem głosek. Trzecia kolumna to międzynarodowy zapis fonetyczny wg IPA (*International Phonics Alphabet*), a więc transkrypcja, jaką studenci spotkają w niektórych słownikach języka polskiego, a także podczas nauki innych języków obcych. W czwartej kolumnie znajdziemy transkrypcję uproszczoną, wykorzystywaną w opisie języków słowiańskich. W niniejszym opisie posługiwać się będziemy raczej zapisem literowym, bo z takim studenci przede wszystkim mają do czynienia w nauce języka. Celem tej publikacji jest, by uczący się potrafili zapis literowy właśnie wyrazić za pomocą odpowiednich dźwięków. Sporadycznie, tam gdzie zapis za pomocą liter mógłby być mylący, posługujemy się również zapisem fonetycznym, uproszczonym.

001

①	②		③	④
A a	*Adam*		[a]	[a]
Ą ą	*są*		[ɔ̃]	[õ]
B b	*bar*		[b]	[b]
C c	*co*		[t͡s]	[c]
Ć ć	*ćma, być*		[t͡ɕ]	[ć]
D d	*dom*		[d]	[d]
E e	*Ewa*		[ɛ]	[e]
Ę ę	*gęś, się*		[ɛ̃]	[ẽ]
F f	*fotografia*		[f]	[f]
G g	*grupa*		[g]	[g]
H h	*herbata*		[x]	[χ]
I i	*imię*		[i]	[i]
J j	*ja*		[j]	[i̯]
K k	*kolor, kto*		[k]	[k]
L l	*lekcja*		[l]	[l]
Ł ł	*łatwo*		[w]	[u̯]

①	②		③	④
M m	*mam*		[m]	[m]
N n	*noc*		[n]	[n]
Ń ń	*koń*		[ɲ]	[ń]
O o	*okno*		[ɔ]	[o]
Ó ó	*ósma, Kraków*		[u]	[u]
P p	*pan*		[p]	[p]
R r	*rozumiem*		[r]	[r]
S s	*sens*		[s]	[s]
Ś ś	*śnieg, coś*		[ɕ]	[ś]
T t	*to*		[t]	[t]
U u	*ulica*		[u]	[u]
W w	*woda*		[v]	[v]
Y y	*syn, dobry*		[ɨ]	[y]
Z z	*zebra*		[z]	[z]
Ź ź	*źle*		[ʑ]	[ź]
Ż ż	*że*		[ʒ]	[ž]

① litera, ② przykład, ③ transkrypcja międzynarodowa, ④ transkrypcja słowiańska

Niektóre głoski mogą zostać zapisane także za pomocą dwuznaku:

ch = **h**	*chleb, herbata*	[x]	[χ]
rz = **ż**	*rzeka, żona*	[ʒ]	[ž]
ci = **ć**	*ciemno, ćma*	[t͡ɕ]	[ć]
si = **ś**	*się, śnieg*	[ɕ]	[ś]
zi = **ź**	*zima, źle*	[ʑ]	[ź]
ni = **ń**	*nic, koń*	[ɲ]	[ń]

Są też głoski zapisywane wyłącznie za pomocą dwuznaków:

cz	*czas*	[t͡ʃ]	[č]
sz	*szansa*	[ʃ]	[š]
dż	*dżungla*	[d͡ʒ]	[ž]
dz	*dzwon*	[d͡z]	[ʒ]
dź = **dzi**	*dźwig, dzień*	[d͡ʑ]	[ʒ]

Głoski w polskim systemie fonologicznym możemy podzielić na **samogłoski** (których graficznym odpowiednikiem są litery: **a, ą, e, ę, i, o, u = ó, y**) oraz **spół-głoski** (w alfabecie przedstawiane za pomocą liter: **b, c, ć, d, f, g, h, j, k, l, ł, m, n, ń, p, r, s, ś, t, w, z, ź, ż**).

FONETYKA

SAMOGŁOSKI

Samogłoski są to głoski otwarte, tworzące sylabę. Ze względu na położenie języka w trakcie artykulacji dzielimy je na:
* *przednie* (**i**, **y**, **e**), *środkowe* (**a**) i *tylne* (**u**, **o**) – ruch języka w poziomie → (1),
* *wysokie* (**i**, **y**, **u**), *średnie* (**e**, **o**) i *niskie* (**a**) – ruch języka w pionie → (2).

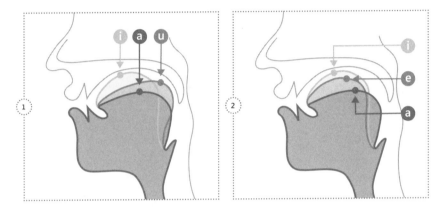

Graficznie podział samogłosek można przedstawić za pomocą trójkąta samogło-skowego* → (3).

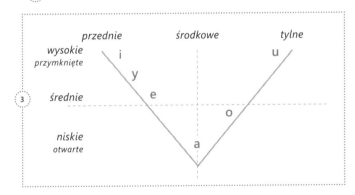

Wymowa polskich samogłosek na ogół nie jest dla studentów kłopotliwa, niemniej w początkowej fazie nauki warto zwrócić uwagę na ich prawidłową artykulację, zwłaszcza na układ warg: zaokrąglone przy głoskach **o**, **u**, neutralne przy wymowie **a** i spłaszczone przy głoskach **i**, **y**, **e** → (4).

---

* Trójkąt samogłoskowy opracowany przez polskiego językoznawcę Tytusa Benniego, na podstawie trójkąta samogłoskowego Wolfganga Hellwaga z XVIII w.

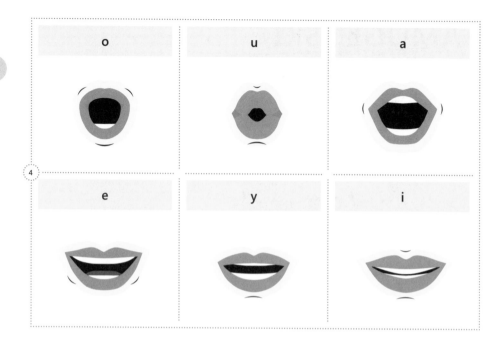

❶ i / y / e

Pewną trudność sprawia obcokrajowcom artykulacja głoski **y**, jako że najczęściej nie mają jej odpowiednika w swoim alfabecie, a także rozróżnienie samogłosek przednich: **i**, **y**, **e**. Pomoże tu informacja, że **y** to dźwięk niższy i twardszy niż **i**, ale wyższy niż **e**. Kształcące może być przedstawienie położenia polskich samogłosek na diagramie samogłoskowym Jonesa* → ⑤, który wykorzystuje się zwykle w fonetyce innych języków. Pozwala to zaobserwować, że polskie **i** ma brzmienie podobne do angielskiego [iː] (por. ang. *see*), natomiast **y** [ɨ] jest zbliżone (nieco niższe) do dźwięku [ɪ] (por. ang. *bit*).

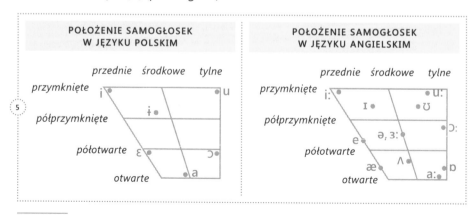

* Diagram samogłoskowy zwany też czworobokiem samogłoskowym, opracowany przez angielskiego fonetyka i fonologa Daniela Jonesa.

FONETYKA
polski w praktyce

Z metodycznego punktu widzenia najważniejsza jest jednak wzorcowa wymowa nauczyciela/lektora (zob. *Alfabet* → 9) oraz obserwacja układu warg (bardziej płaskie, rozciągnięte przy **i**, trochę ściśnięte przy **y**).

ĆWICZENIA

- *C·02* **E/Y/I** 49
- *D·01* **RZECZY W KLASIE** → ❸ 81
- *D·09* **POGODA** → ❷ 101
- *D·11* **PODRÓŻE** → ❷ 107

❷ ą/ę

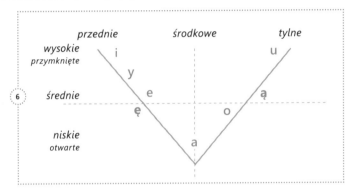

Każda z polskich samogłosek może być wymawiana nosowo, w pozycji przed spółgłoskami nosowymi **m**, **n**, por. *instytut, mama, uncja, konto, rym, sens*. Niemniej szczególną uwagę trzeba poświęcić samogłoskom, zapisywanym za pomocą liter **ą** i **ę**. Są to nosowe warianty głosek **o** i **e** → ⑥, ale w ten sposób ([õ], [ẽ]) wymawiane są tylko przed głoskami szczelinowymi (**s**, **z**, **sz**, **ż** = **rz**, **ś** = **si**, **ź** = **zi**, **f**, **w**, **ch**), a w przypadku **ą** także na końcu wyrazu. W pozostałych sytuacjach mamy do czynienia albo z utratą nosowości (przed głoskami **ł** i **l** oraz na końcu wyrazu w przypadku **ę**), albo ze zjawiskiem wymowy asynchronicznej, tzn. rozbicia samogłoski nosowej na dwa elementy: odpowiednio [o] lub [e] oraz spółgłoski nosowej [m], [n], [ń] lub [ŋ], której miejsce artykulacji jest takie samo jak miejsce artykulacji następnej głoski. Ścisłą zależność wymowy polskich „nosówek" od sąsiedztwa (następnej głoski lub jej braku) przedstawia poniższa tabela:

MIEJSCE W WYRAZIE	WYMOWA	PRZYKŁAD	WYMOWA	PRZYKŁAD
		ą		ę
• na końcu wyrazu	ą	robią, gitarą, małą	e	myję, torbę
• przed głoskami szczelinowymi (**s**, **z**, **sz**, **ż** = **rz**, **ś** = **si**, **ź** = **zi**, **f**, **w**, **ch**)	ą	wąski, wiązać, zakąsza, książę, wąsik, brązie, fąfel, wąwóz, wąchać	ę	męski, więzy, węszyć, węże, mięśnie, gałęzie, węch
• przed głoskami półotwartymi (**l**, **ł**)	o	zdjął, płynął	e	wzięła, zmięli
• przed głoskami wargowymi (**p**, **b**)	om	kąpać, rąbać	em	sępy, zęby
• przed głoskami zębowymi (**t**, **d**) i dziąsłowymi (**c**, **dz**, **cz**)	on	kąt, mądry, zając, żądza, rączy	en	kręty, pędy, więc, nędza, męczyć
• przed głoskami palatalnymi (**ć** = **ci**, **dź** = **dzi**)	oń	zdjąć, błądzi	eń	pięć, będzie
• przed głoskami tylnojęzykowymi (**k**, **g**)	oŋ	pąk, urągać	eŋ	lękać, tęga

Wymowa polskich „nosówek" w wygłosie (na końcu wyrazu) często przyspa-
rza trudności także Polakom. Chociaż dopuszczalna jest wymowa wygłosowego
ę z lekką nosowością, to jednak przesadne jej podkreślanie jest błędem, przykła-
dem hiperpoprawności. Niektórzy nauczyciele podkreślają nosowość ę w pierwszej
osobie czasowników w czasie teraźniejszym (por. *piszę, pracuję*), po to by odróżnić
je od trzeciej osoby (por. *pisze, pracuje*), albo w końcówkach biernika (por. *książkę,
mapę*), by ułatwić ich zapamiętanie. Wydaje się jednak, że to niepotrzebne wpro-
wadzanie w błąd, studenci mogą później oczekiwać, że również rodzimi użytkow-
nicy języka będą mówić w analogiczny sposób. Może się również zdarzyć, że uczący zetkną się z wymową wygłosowego ą z pełną utratą nosowości (por. [ładno],
[mieszkajo], [rybo]) albo z jego wymową asynchroniczną (por. [ładnom], [miesz-
kajom], [rybom]). Trzeba podkreślić, że obie te wymowy są błędne.

ĆWICZENIA

• C·03 A/Ę 52
• D·03 HOBBY → ❷ 84
• D·09 POGODA → ❹ 102

FONETYKA
polski w praktyce

W jaki sposób ćwiczyć poprawną wymowę samogłosek?

- Przedłużać ich wymowę.
- Zwracać uwagę na układ warg, najlepiej przed lusterkiem.
- Powtarzać w sylabach z tą samą spółgłoską, np. *ma-me-mi-mo-mu-my*, *ta-te--ti-to-tu-ty*, *ba-be-bi-bo-bu-by*...
- Powtarzać proste wyrazy, np. internacjonalizmy i wyrazy dźwiękonaśladowcze.
- Śpiewać popularne piosenki, zastępując wszystkie samogłoski jedną, za każdym razem inną, np. w piosence „Panie Janie" można zmieniać pierwsze dwa wersy: *Pania Jania rana wstań, Penie Jenie, rene wsteń, Ponio Jonio rono wstoń, Pini Jini rini wstiń, Puniu Juniu runu wstuń, Pyny Jyny ryny wstyń.*

ĆWICZENIA

- *B·01* Internacjonalizmy → ⑤ 32
- *C·02* ONOMATOPEJE 34

A

Spółgłoski dzielimy ze względu na:

1. **sposób artykulacji:**
   - właściwe:
     - **zwarte:** p, b, t, d, k, g
     - **zwarto-szczelinowe:** c, dz, cz, dż, ć(ci), dź(dzi)
     - **szczelinowe:** f, w, s, z, sz, ż(rz), ś(si), ź(zi), h(ch)
   - półotwarte:
     - **nosowe:** m, n, ń(ni)
     - **drżące:** r
     - **boczne:** l
     - **półsamogłoski:** j, ł

2. **miejsce artykulacji:**
   - **dwuwargowe:** p, b, m
   - **wargowo-zębowe:** f, w
   - **zębowe:** t, d, c, dz, s, z, n
   - **dziąsłowe:** cz, dż, sz, ż(rz), r, l
   - **środkowojęzykowe:** ć(ci), dź(dzi), ś(si), ź(zi), ń(ni), j
   - **tylnojęzykowe:** k, g, h(ch), ł

3. **drgania wiązadeł głosowych:**
   - **bezdźwięczne:** p, t, k, f, s, c, sz, cz, ś(si), ć(ci)
   - **dźwięczne:** b, d, g, w, z, dz, ż(rz), dż, ź(zi), dź(dzi)

Podana wyżej klasyfikacja jest niepełna z naukowego punktu widzenia. Dla zachowania pewnej przejrzystości pominięte zostały zmiękczone warianty wszystkich spółgłosek, bezdźwięczne spółgłoski półotwarte, tylnojęzykowe [ŋ], a także dźwięczny ekwiwalent głoski [x]. Pominięte głoski nie mają odrębnych odpowiedników literowych, same nie tworzą opozycji dystynktywnych z innymi głoskami, wreszcie powstają mimochodem, bez świadomości mówiącego. Pełną naukową klasyfikację spółgłosek znajdziemy w książce Ostaszewskiej i Tambor*. Natomiast zamieszczony obok uproszczony schemat jest wzbogacony o przykłady słów pozwalające porównać głoskę z jej zapisem literowym. W przypadku pary spółgłosek w jednym okienku pierwsza jest zawsze głoską bezdźwięczną, druga dźwięczną. Wyróżnione głoski pozwalają zauważyć, na czym polega różnica między szeregiem dźwięków najbardziej kłopotliwych do rozróżnienia.

---

* D. Ostaszewska, J. Tambor, *Fonetyka i fonologia współczesnego języka polskiego*, Warszawa 2006, s. 34.

FONETYKA

SPOSÓB ARTYKULACJI							
MIEJSCE ARTYKULACJI	WŁAŚCIWE			PÓŁOTWARTE			
	zwarte	zwarto-szczelinowe	szczelinowe	nosowe	drżące	boczne	półsamogłoski
dwuwargowe	[p] *pan* [b] *bar*			[m] *mam*			
wargowo-zębowe			[f] *fan* [v] *woda*				
zębowe	[t] *ten* [d] *dom*	[c] *co* [ʒ] *dzwon*	[s] *syn* [z] *zoo*	[n] *noc*			
dziąsłowe		[č] *czy* [ǯ] *dżem*	[š] *sześć* [ž] *żeby* *rzeka*		[r] *rok*	[l] *las*	
środkowo-językowe		[ć] *ćma* *ciemno* [ʒ́] *dźwięk* *dzień*	[ś] *śnieg* *się* [ź] *źle* *zimno*	[ń] *koń* *nie*			[i̯] *jak*
tylnojęzykowe	[k] *kot* [g] *gol*		[x] *herbata* *chleb*	[ŋ]* *bank*			[u̯] *łatwo*

---

* **N tylnojęzykowe** [ŋ] nie pojawia się w alfabecie jako odrębna litera, ale pozostawiamy je tutaj ze względu na znaczenie przy wymowe samogłosek nosowych **ą** i **ę**.

❶ b [b] / w [v]

Rozróżnienie i poprawna artykulacja głosek **b** i **w** jest zadaniem szczególnie trudnym dla osób hiszpańskojęzycznych. Głoski te różni zarówno miejsce, jak i sposób artykulacji. W przypadku **b** mamy pełne zwarcie obu warg, wydobywający się dźwięk jest krótki, trochę jak wybuch. Wypowiadając **w** tworzymy wąską szczelinę między górnymi zębami, a dolną wargą, powstający dźwięk może być dowolnie wydłużany, co pozwala na korektę artykulacji. Obie głoski wypowiadane szeptem utworzą ich bezdźwięczne odpowiedniki: **p** i **f**. Miejsce oraz sposób artykulacji obu głosek pokazują i objaśniają rysunki → ⑦ → ⑧ . Nauczyciel powinien oczywiście zaprezentować wzorcową wymowę, specjalnie przerysowując sposób tworzenia głosek. Warto wymowę obu głosek ćwiczyć przed lustrem.

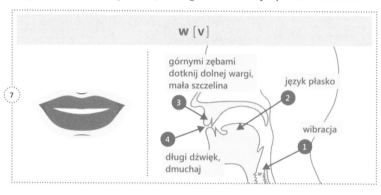

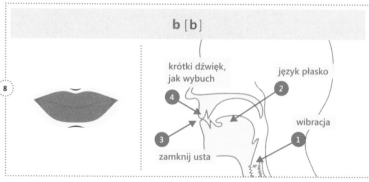

CWICZENIA

• *C·04* **B/W** 55

❷ r [r] / l [l]

Wiele narodowości sygnalizuje problemy z poprawną artykulacją głoski **r**. Zniekształcenia w jej wymowie zauważyć można w wymowie Francuzów (tzw. rotacyzm uwularny, polegający na wprawianiu w drganie języczka, czyli zakończenia

FONETYKA

podniebienia miękkiego *uvula* zamiast czubka języka), osób anglojęzycznych (język cofnięty do gardła, czubek podwinięty ku górze, ale nie dotykający dziąseł, brak drgania), a także u osób niemieckojęzycznych (różnego typu zniekształcenia, często jest to r uwularne, ale z wyciszeniem drgania)*. Nieprawidłowa artykulacja głoski r nie powoduje jednak zakłóceń komunikacyjnych, wadliwą wymowę tego typu prezentują przecież Polacy, także ci występujący w mediach. O ile więc student wyraźnie nie życzy sobie ćwiczeń mających na celu zbliżenie jego wymowy r do wzorcowej w języku polskim, można zaakceptować jej angielski, francuski, czy niemiecki wariant.

Większy problem wymowa r, a przede wszystkim rozróżnienie głosek r i l, stanowi dla Chińczyków, Wietnamczyków czy Japończyków, ponieważ w ich językach nie ma opozycji dystynktywnej między tymi głoskami. Obie głoski mają to samo miejsce artykulacji (dziąsłowe) i są półotwarte. Różnica polega tylko na sposobie artykulacji: przy wymowie l język jest przyklejony do górnego dziąsła, nie wykonuje żadnych ruchów → ⑩, podczas gdy przy wymowie r język bardzo szybko uderza o górne dziąsło, powodując w tym miejscu wibrację → ⑨.

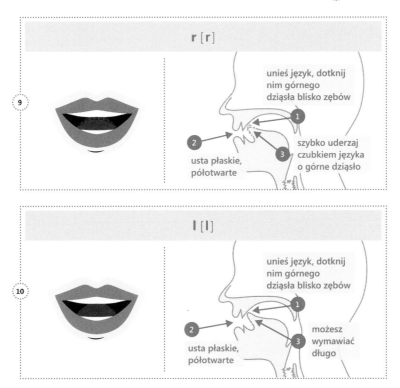

r [r]

unieś język, dotknij nim górnego dziąsła blisko zębów

szybko uderzaj czubkiem języka o górne dziąsło

usta płaskie, półotwarte

l [l]

unieś język, dotknij nim górnego dziąsła blisko zębów

możesz wymawiać długo

usta płaskie, półotwarte

* Por. A. Święcka, *Kłopotliwa głoska r w nauczaniu obcokrajowców fonetyki języka polskiego*, „Polonicum" nr 20, Warszawa 2015

ĆWICZENIA

- *C·05* **R/L** 57
- *C·02* **ONOMATOPEJE** → ③ ④ 35
- *D·04* **JEDZENIE** → ③ ④ 87

③ l [l] / ł [u̯]

Problem z poprawną artykulacją głosek **l** i **ł** sygnalizują głównie osoby rosyjsko-
języczne. Interferencja z języka rosyjskiego powoduje, że głoskę **l** wypowiadają
miękko, natomiast **ł** [u̯] realizują jako dźwięk pośredni między **l** i **ł**, tj. przednioję-
zykowe [ɫ] (tzw. **ł** sceniczne). W korekcie artykulacji pomoże wzorcowa wymowa
nauczyciela, który przerysowując może pokazać, że **l** wypowiadamy opierając język na górnym wałku dziąsłowym, nie na górnych zębach (jak podczas wymowy
przedniojęzykowego **ł** [ɫ]). Artykulacja **ł** wymaga natomiast silniejszego niż przy
u zwężenia ust (robienie „dzióbka") i następnie ich rozwarcia, jak przy okrzyku
bólu *(aua!)* → ⑪ → ⑫ .

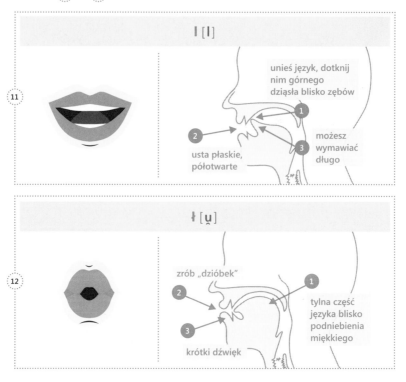

l [l]

11

unieś język, dotknij
nim górnego
dziąsła blisko zębów

1

2

usta płaskie,
półotwarte

3

możesz
wymawiać
długo

ł [u̯]

12

zrób „dzióbek"

2

1

3

tylna część
języka blisko
podniebienia
miękkiego

krótki dźwięk

ĆWICZENIA

- *C·06* **L/Ł** 60
- *D·04* **JEDZENIE** → ④ 87
- **ł** → robienie „dzióbka", naśladowanie kota: *miau*, okrzyk
bólu: *aua!*

FONETYKA
polski w praktyce

④ ł [u̯] / w [w]

Problem z rozróżnieniem i poprawną artykulacją tych głosek najczęściej zaobserwować można u osób rosyjskojęzycznych (zwłaszcza w wygłosie) oraz niemieckojęzycznych. Podobną trudność sygnalizują również Chińczycy. Głoska ł jest półotwarta, o sposobie artykulacji bardzo podobnym do samogłoski **u**, tyle że usta są jeszcze bardziej zwężone → (13). Dobre efekty przynosi robienie przed lustrem „dzióbka". Głoskę ł zawsze wymawiamy krótko (przedłużona wymowa prowadzi do powstania **u**). Wywołamy ją naśladując miauczenie kota *(miau)* lub okrzyk bólu *(aua!)*. Wypowiadając głoskę **w** tworzymy wąską szczelinę między górnymi zębami a dolną wargą, przy czym usta pozostają płaskie → (14). Tę głoskę możemy przedłużać.

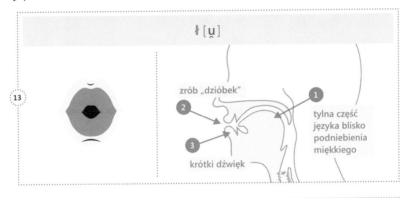

ł [u̯]

13

zrób „dzióbek"

tylna część języka blisko podniebienia miękkiego

krótki dźwięk

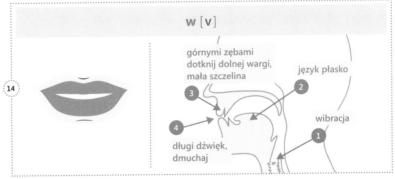

w [v]

14

górnymi zębami dotknij dolnej wargi, mała szczelina

język płasko

wibracja

długi dźwięk, dmuchaj

ĆWICZENIA

- C·07 Ł/W 62
- ł → robienie „dzióbka", naśladowanie kota: *miau*, okrzyk bólu: *aua!*
- w → naśladowanie trzmiela: *www*

⑤ Podwójne głoski

Występowanie podwójnych głosek, najczęściej w obustronnym sąsiedztwie samogłosek jest zjawiskiem typowym dla języków słowiańskich*. Największe trudności z poprawną ich artykulacją można zaobserwować u osób anglo- i niemieckojęzycznych, a także Włochów, Hiszpanów, Portugalczyków. Nieprawidłowa wymowa tych głosek jest błędem, który może zakłócić komunikację. Natomiast stosunkowo łatwo go skorygować, wystarcza na ogół informacja, że Polacy podwojenie głosek realizują albo jako przedłużenie ich wymowy (*dłuższy, wanna*), albo jako wyraźne powtórzenie tej samej głoski *(nadto, niecce)*. Trzeba pamiętać, że w języku polskim jest to cecha, która tworzy opozycję dystynktywną (por. *niszy – niższy, pana – panna, leki – lekki*).

ĆWICZENIA

• *C·08* **PODWÓJNE GŁOSKI** 64

⑥ Szereg syczący, szumiący i ciszący

s, sz, ś (si) / z, ż, ź (zi) / c, cz, ć (ci) / dz, dż, dź (dzi)

Rozróżnienie i poprawna artykulacja powyższych głosek jest dla obcokrajowców zdecydowanie najtrudniejszym zagadnieniem w fonetyce języka polskiego. Trudności w tym zakresie można zaobserwować niezależnie od pierwszego języka uczących się. Głoski te układają się jednak w bardzo logiczne ciągi, których świadomość może ułatwić poprawną wymowę.

1. **Miejsce artykulacji** pozwala wyodrębnić szereg:
   - **zębowy (syczący)** – głoski **s, z, c, dz** – w trakcie wymowy język dotyka dolnych zębów, usta są płaskie i rozciągnięte → (15);
   - **dziąsłowy (szumiący)** – głoski **sz, ż, cz, dż** – boki języka dotykają górnego dziąsła, środek jest trochę opuszczony, tworząc coś na kształt łyżeczki, usta wyraźnie zaokrąglone i wargi wysunięte do przodu → (16);
   - **środkowojęzykowy / palatalny (ciszący)** – głoski **ś (si)**, **ź (zi)**, **ć (ci)**, **dź (dzi)** – język jest uniesiony do środkowej części podniebienia *(palatum)*, usta spłaszczone, ściśnięte kąciki → (17).

2. **Sposób artykulacji** pozwala podzielić te głoski na:
   - **szczelinowe** – podczas mówienia pozostaje wyraźna szczelina między językiem a zębami (**s, z**), dziąsłem górnym (**sz, ż**) lub podniebieniem (**ś/si, ź/zi**). Głoski te można więc wypowiadać dowolnie długo.

---

* Por. A. Kozyra, *Geminaty w językach słowiańskich*, „Slavia meridonalis" 15, 2015.

FONETYKA *polski w praktyce*

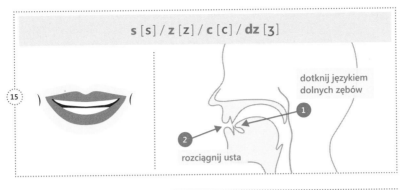

s [s] / z [z] / c [c] / dz [ʒ]

15

dotknij językiem
dolnych zębów

1

2

rozciągnij usta

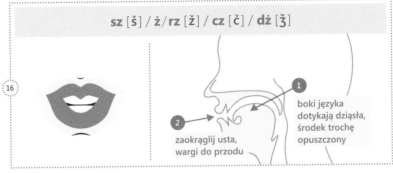

sz [š] / ż/rz [ž] / cz [č] / dż [ǯ]

16

boki języka
dotykają dziąsła,
środek trochę
opuszczony

1

2

zaokrąglij usta,
wargi do przodu

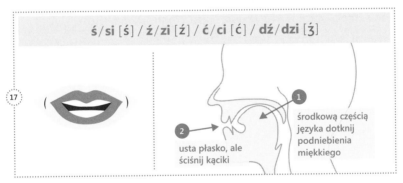

ś/si [ś] / ź/zi [ź] / ć/ci [ć] / dź/dzi [ʒ́]

17

środkową częścią
języka dotknij
podniebienia
miękkiego

1

2

usta płasko, ale
ściśnij kąciki

- **zwarto-szczelinowe** – podczas mówienia najpierw następuje krótkie zwarcie między językiem a zębami (**c**, **dz**), dziąsłem górnym (**cz**, **dż**) lub podniebieniem (**ć/ci**, **dź/dzi**), które natychmiast przechodzi w szczelinę. To powoduje, że głoski te mogą być wypowiadane tylko krótko. Ich przedłużanie prowadzi do powstania głosek szczelinowych.

3. **Udział wiązadeł głosowych** pozwala wreszcie wyodrębnić głoski:
   - **dźwięczne** (**z**, **ż**, **ź/zi**, **dz**, **dż**, **dź/dzi**) – wiązadła głosowe drgają, co można wyczuć przykładając rękę do gardła
   - **bezdźwięczne** (**s**, **sz**, **ś/si**, **c**, **cz**, **ć/ci**) – wiązadła głosowe nie drgają, przykładając rękę do gardła nie czuć wibracji. Głoski te mogą być szeptane.

Wszystkie te właściwości przedstawia poniższa tabela.

	MIEJSCE ARTYKULACJI					
	zębowe		dziąsłowe		środkowojęzykowe	
	⊖	⚡	⊖	⚡	⊖	⚡
szczelinowe	[s] *syn*	[z] *zoo*	[š] *sześć*	[ž] *żeby* *rzeka*	[ś] *śnieg* *się*	[ź] *źle* *zimno*
zwarto-szczelinowe	[c] *co*	[ʒ] *dzwon*	[č] *czy*	[ǯ] *dżem*	[ć] *ćma* *ciemno*	[ʒ́] *dźwięk* *dzień*

⊖ bezdźwięczne, ⚡ dźwięczne

W tabeli można zaobserwować, że głoska [ž] może być zapisywana za pomocą litery **ż** bądź dwuznaku **rz**. Podobnie wszystkie głoski środkowojęzykowe z wyjątkiem **j**, mają dwa sposoby zapisywania, o wyborze którego decyduje następna głoska.

Za pomocą dwuznaku z samogłoską **i** zapisujemy te głoski:

• przed samogłoskami (*siódma*, *zielony*, *ciągle*, *dzień*, *niebo*)

• w sytuacji, gdy samogłoska **i** tworzy sylabę (*piersi*, *zimno*, *płaci*, *dziwny*, *koni*)

Za pomocą znaku zmiękczenia zapisujemy te głoski:

• przed spółgłoskami (*śpi*, *źle*, *ćma*, *dźwięk*, *tańce*)

• na końcu wyrazu (*pierś*, *wieź*, *płać*, *bądź*, *koń*)

ĆWICZENIA

• *C.09* Ś/Ź/Ć/DŹ → ④⑤⑥⑦ 66

W jaki sposób ćwiczyć poprawną wymowę głosek z szeregu syczącego, ciszącego i szumiącego?

• Problemy studentów anglojęzycznych z rozróżnieniem szeregu szumiącego i ciszącego wynikają z faktu, że dźwięki obecne w języku angielskim plasują się gdzieś na pograniczu tych dwóch szeregów, tzn. są twardsze niż środkowojęzykowe **ś**, **ź**, **ć**, **dź**, ale zarazem bardziej miękkie niż dziąsłowe **sz**, **ż**, **cz**, **dż**. Warto więc podczas artykulacji przerysowywać różnicę w układzie ust między nimi.

• Osobom, które świadomie wyczuwają położenie języka w trakcie artykulacji poszczególnych głosek pomoże ćwiczenie polegające na przedłużonym wypowiadaniu głoski **s** i powolnym cofaniu uniesionego języka w głąb gardła. Powinien w ten sposób powstać następujący szereg głosek szczelinowych bezdźwięcznych: **s** – **sz** – **ś** – **ch**.

FONETYKA

- Logopedyczne sposoby wywoływania trudniejszych głosek:
  - ś → wymawiamy długo **j**, a potem, nie zmieniając układu warg, podnosimy środkową część języka do góry;
  - ć → szybko powtarzamy głoski **t** i **ś**, aż uda się je wypowiedzieć równocześnie;
  - dź → długo i mocno wymawiając głoskę **ń** zaciskamy skrzydełka nosa. Głoska **dź** powstaje w momencie, gdy musimy otworzyć usta, żeby zaczerpnąć powietrza;
  - sz → przy długim wymawianiu **r**, osłabiamy wibrację, mówimy coraz ciszej, jakby odjeżdżał motor;
  - cz → wymawiamy kilka razy **t**, a potem to samo, ale przyciskając lekko policzki w okolicy kącików ust i w ten sposób zaokrąglając wargi;
  - dż → podobnie jak z wywołaniem głoski **cz**, ale wymawiamy kilka razy **d***.

ĆWICZENIA

- B·02 **ONOMATOPEJE** → ⑤ ⑥ 36
- C·09 **Ś/Ź/Ć/DŹ** 65
- C·10 **SZ/Ż/CZ/DŻ** 68
- C·11 **S/Ś/SZ, Z/Ź/Ż, C/Ć/CZ, DZ/DŹ/DŻ** 71
- C·13 **SZCZ/ŚĆ** 77
- D·01 **RZECZY W KLASIE** → ② 81
- D·02 **PREZENTACJA OSOBY** → ① ② ③ 82
- D·04 **JEDZENIE** → ② ⑤ ⑥ ⑦ 86
- D·05 **RODZINA** → ① ② ③ 90
- D·08 **ZAKUPY** → ④ ⑤ 99
- D·10 **MIESZKANIE** → ① ③ ⑥ 103
- D·11 **PODRÓŻE** → ① 107
- D·12 **ŻYCIORYS** → ③ 111
- D·14 **CIAŁO, ZDROWIE** → ① ② 116

⑦ Udźwięcznienia i ubezdźwięcznienia

1. **Wygłos**

   Wszystkie spółgłoski właściwe tworzą pary różniące się tylko ze względu na udział wiązadeł głosowych i jest to cecha dystynktywna → ⸱18⸱.

---

* J. Cieszyńska, *Metody wywoływania głosek*, Kraków 2003.

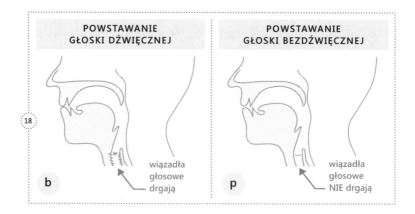

POWSTAWANIE GŁOSKI DŹWIĘCZNEJ	POWSTAWANIE GŁOSKI BEZDŹWIĘCZNEJ
b — wiązadła głosowe drgają	p — wiązadła głosowe NIE drgają

Na końcu wyrazu przed pauzą fonetyczną (w wygłosie) następuje zjawisko zwane **ubezdźwięcznieniem**, tzn. głoski dźwięczne zmieniają się w swoje bezdźwięczne odpowiedniki:

[b] [d] [g] [v] [z] [ʒ] [ž] [ǯ] [ź] [ʒ́]
↓ ↓ ↓ ↓ ↓ ↓ ↓ ↓ ↓ ↓
[p] [t] [k] [f] [s] [c] [š] [č] [ś] [ć]

Np. *chleb* [χlep], *kod* [kot], *kucharz* [kuχasz], *obraz* [obras]

2. Zbitki spółgłosek

Zbitki spółgłosek – zjawisko bardzo charakterystyczne dla języka polskiego, a zarazem wyjątkowo trudne do artykulacji dla obcokrajowców – zawsze wymawiamy w całości dźwięcznie lub bezdźwięcznie. Decyduje o tym ostatnia głoska. Jest to reguła obowiązująca także na granicy wyrazów, pod warunkiem, że nie dzieli ich pauza fonetyczna. Jeżeli głoska jest dźwięczna, to całą grupę wymawiamy dźwięcznie. Jest to zjawisko zwane **udźwięcznieniem**, np.:

005

liczba	*prośba*	*także*
[liʒba]	[proźba]	[tagže]
č → ʒ	ś → ź	k → g

jeść banana	*zeszyt Wiktora*	*masz dom*
[i̯eźʒ banana]	[zešyd Wiktora]	[maž dom]
ść → źʒ	t → d	š → ž

Jeżeli pod wpływem ostatniej głoski w grupie wszystkie głoski tracą dźwięczność, to mamy do czynienia z **ubezdźwięcznieniem**, np.:

006

odpowiedź	*wszystko*	*książka*
[otpovi̯eʒ]	[fšystko]	[kśõška]
d → t	v → f	ž → š

FONETYKA
polski w praktyce

z Polski	ró**g** pokoju	je**dź** tam
[**s** polski]	[ru**k** pokoi̯u]	[i̯e**ć** tam]
z → s	g → k	ʒ́ → ć

3. **Połączenie: spółgłoska + rz**

Wyjątkiem od powyższej reguły są grupy spółgłosek zakończone **rz**. W takich sytuacjach to pierwsza spółgłoska decyduje o tym, czy cała grupa pozostaje dźwięczna, a **rz** jest wymawiane zgodnie z zapisem literowym [ž], czy też cała grupa traci dźwięczność, a **rz** wymawiane jest jak **sz** [š].

- wymowa dźwięczna – **rz** [ž]
  grzyby [gžyby], **zgrz**ewa [zgževa], **drz**ewa [dževa], **brz**eg [bžek]
- wymowa bezdźwięczna – **rz** [š]
  krzywy [kšyvy], **skrz**ydła [skšydu̯a], **trz**eba [tšeba], **prz**ed [pšet]

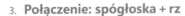

ĆWICZENIA
- C·12 **TRZ/DRZ/WRZ/PRZ** ································ 74
- D·09 **POGODA** → ❹ ································ 102
- D·10 **MIESZKANIE** → ❹ ❺ ································ 104

A

W języku polskim akcent wyrazowy (↓) nie jest cechą dystynktywną, tzn. nie wpływa na zmianę znaczenia słów. **Jest to akcent stały, pada na drugą sylabę od końca** (akcent paroksytoniczny) i polega na nieco mocniejszym i dłuższym wypowiedzeniu akcentowanej sylaby, np.

🎧
008

***Kra**-ków, **szko**-ła,*
*War-**sza**-wa, in-**ter**-net,*
*Za-ko-**pa**-ne, te-le-**wi**-zja,*
*au-to-bio-**gra**-fia, in-ter-pe-**la**-cja.*

			↓	
			Kra —	ków
			2.	1.
		War —	**sza** —	wa
		3.	2.	1.
	Za —	ko —	**pa** —	ne
	4.	3.	2.	1.
au —	to —	bio —	**gra** —	fia
5.	4.	3.	2.	1.

❗ Istnieje szereg sytuacji, kiedy mamy do czynienia z odstępstwem od tej reguły. Akcent może padać także na:

1. **trzecią sylabę od końca**

	↓		
	mu —	zy —	ka
	3.	2.	1.

🎧
009

- wyrazy obce zakończone na *-ika / -yka*:
  ***mu**-zy-ka, **fi**-zy-ka, **lo**-gi-ka, ma-te-**ma**-ty-ka, sta-**tys**-ty-ka*

- formy 1. i 2. osoby czasownika liczby mnogiej *(my i wy)* w czasie przeszłym:
  *ro-**bi**-li-śmy, prze-czy-**ta**-ły-śmy, mó-**wi**-ły-ście, de-ko-ro-**wa**-li-ście*

- niektóre wyrazy zapożyczone:
  ***mi**-ni-mum, **pre**-zy-dent, **ry**-zy-ko, u-ni-**wer**-sy-tet, rzecz-pos-**po**-li-ta*

- tryb przypuszczający czasownika z wyjątkiem 1. i 2. osoby liczby mnogiej *(my i wy)*:
  *pi-**sa**-li-by, wró-**ci**-ła-bym, prze-for-**so**-wał-byś, od-po-czy-**wa**-ła-by*

FONETYKA

- liczebniki trzysylabowe z końcówką -set:
  sie-dem-set, **o**-siem-set, **dzie**-więć-set

2. **czwartą sylabę od końca**

by	—	ły	—	byś	—	my
4.		3.		2.		1.

010

- formy 1. i 2. osoby czasownika (my i wy) w trybie przypuszczającym:
  by-ły-byś-my, li-**czy**-li-byś-cie, u-wie-**rzy**-li-byś-my,
  za-pro-wa-**dzi**-li-byś-cie

3. **ostatnią sylabę**

O	—	N	—	Z
1.		2.		3.

011

- skrótowce: O-N-**Z**, U-**J**, T-V-**N**, P-K-**P**, P-T-T-**K**
- wyrazy jednosylabowe z obcymi prefiksami: eks-**mąż**, su-per-**mecz**,
  wi-ce-**miss**, kin-der-**bal**
- niektóre wyrazy zapożyczone z języka francuskiego: me-**nu**, apé-ri-**tif**,
  fo-**yer**, ate-**lier**
- niektóre wykrzykniki: a-**psik**!, o-**jej**!, a-**hoj**!

Zdarzają się wyrazy jednosylabowe, najczęściej zaimki, partykuły i przyimki, które nie mają własnego akcentu, ale niejako „przyklejają się" do wyrazów z własnym akcentem. To *enklityki*, które łączą się z wyrazem poprzedzającym (u-czę się, ro-**zu**-miem cię, **chodź** tu, **prze**-proś ją, **za**-bierz to) oraz *proklityki*, które wypowiada się łącznie z następnym wyrazem (do **do**-mu, na **ur**-lop, pod **sto**-łem, pół **ki**-lo). Jeśli w bezpośrednim sąsiedztwie takiego wyrazu znajdzie się inny wyraz bez własnego akcentu (1) lub dowolny wyraz jednosylabowy (2), oba słowa „zlepiają się" w jedną całość, akcentowaną na drugiej sylabie od końca (np. 1: **przez** nią, be-**ze** mnie, na-**de** mną, **od** niej; 2: **na** wsi, **nie** wiem).

ĆWICZENIA

- *C·01* **AKCENT** ··· 47
- *D·03* **HOBBY** → 4 ·· 85
- *D·10* **MIESZKANIE** → 4 5 ······························· 104

ĆWICZENIA WSTĘPNE

01 ALFABET ·· 31

02 ONOMATOPEJE ······························· 34

03 NAZWY WŁASNE ······························ 37

04 PARONIMY ······································· 40

05 GRY FONETYCZNE ···························· 41

06 ŁAMAŃCE JĘZYKOWE ····················· 44

KLUCZ ODPOWIEDZI ······························ 122

ALFABET

1   Proszę posłuchać i powtórzyć. [FB011]

012
013

/a/	a	Adam		/em/	m	mam
/ą/	ą	są		/en/	n	noc
/be/	b	bar		/eń/	ń	koń
/ce/	c	co		/o/	o	okno
/cie/	ć	ćma, być		/O kreskowane/	ó	ósma, Kraków
/de/	d	dom		/pe/	p	pan
/e/	e	Ewa		/er/	r	rozumiem
/ę/	ę	gęś, się		/es/	s	sens
/ef/	f	fotografia		/eś/	ś	śnieg, coś
/gie/	g	grupa		/te/	t	to
/ha/	h	herbata		/u/	u	ulica
/i/	i	imię		/wu/	w	woda
/jot/	j	ja		/igrek/	y	syn, dobry
/ka/	k	kolor, kto		/zet/	z	zebra
/el/	l	lekcja		/ziet/	ź	źle
/eł/	ł	łatwo		/żet/	ż	że

2   Proszę posłuchać i powtórzyć. [FB012]

014

c	cena
cz	czas
ci	ciemno
ć	ćma

d	dom
dz	dzwon
dż	dżungla
drz	drzwi
dzi	dzień
dź	dźwig

s	sens
sz	szansa
si	się
ś	śnieg

n	noc
ni	nic
ń	koń

z	zebra
ż	żona
zi	zima
ź	źle

h = ch	herbata, chleb
rz = ż	rzeka, żona
u = ó	ulica, ósma

3 **Proszę posłuchać i powtórzyć.** [FB013]

015

• Agata	• Danuta	• Julia	• Ola
• Agnieszka	• Dorota	• Justyna	• Patrycja
• Aneta	• Ewa	• Karolina	• Paulina
• Anna	• Ewelina	• Katarzyna	• Renata
• Barbara	• Elżbieta	• Lucyna	• Sylwia
• Beata	• Gabriela	• Łucja	• Teresa
• Bożena	• Halina	• Małgorzata	• Urszula
• Celestyna	• Irena	• Maria	• Weronika
• Celina	• Iwona	• Marta	• Zofia
• Czesława	• Joanna	• Natalia	• Żaneta

4 **Proszę posłuchać i powtórzyć.** [FB014]

016

• Adam	• Jacek	• Marcin	• Robert
• Andrzej	• Jarek	• Maciek	• Szymon
• Bartek	• Janek	• Michał	• Tadeusz
• Darek	• Jerzy	• Norbert	• Tomasz
• Filip	• Krzysztof	• Patryk	• Tymoteusz
• Grzegorz	• Leszek	• Paweł	• Waldemar
• Henryk	• Łukasz	• Piotr	• Władysław
• Igor	• Mateusz	• Rafał	• Zbigniew

5 **Czy znasz te internacjonalizmy?**
Proszę posłuchać i powtórzyć. [FB015]

017

• film	• inwestycja
• mailować	• charakter
• telefonować	• radio
• filharmonia	• partner
• internet	• fakt
• mapa	• autobus
• maj	• taksówka

ESEMESOWAĆ

CZATOWAĆ

SURFOWAĆ PO INTERNECIE

6 **Proszę posłuchać i powtórzyć.** [FB016]

018

• ćwiczenie	• przepraszam	• skala	• dziesięć
• plac	• powtórzyć	• siedem	• dziękuję
• pałac	• szkoła	• dziewięć	

FONETYKA

7 *Co pasuje? Proszę posłuchać i ułożyć domino.* [FB017]

🎧 019

1	-blem	kon -
	-tacja	tele -
	-ter	perfu -
	-strofa	pro -
	-bot	bal -
	-log	uniwer -
	-mować	para -
	-pa	te -

	-let	lam -
2	-takt	dia -
	-leta	kata -
	-kon	kot -
	-sytet	prezen -
	-atr	kompu -
	-doks	toa -
	-wizja	ro -

8 *Proszę posłuchać. Co mówi lektor?* [FB018]

🎧 020

1. Cześć, jestem *Ł* ucja.　　　a L　b Ł　c U　d J
2. Nazywam się ___ęba.　　　a Zi　b Ż　c Rz　d Z
3. Co u cie___ie słychać?　　　a b　b w　c p　d d
4. Proszę powtórzy___.　　　a sz　b cz　c dź　d ć
5. Czy może pan zamkn___ć okno?　a o　b ó　c ą　d a
6. Proszę bar___o.　　　a c　b z　c dz　d dż
7. Gdzie jest dwo___ec autobusowy?　a zi　b sz　c rz　d r
8. Przepra___am, nie rozumiem.　　a s　b si　c cz　d sz
9. Czy możesz mówić ___olniej?　　a ł　b w　c f　d b
10. Na razie, trz___maj się!　　　a y　b i　c e　d ó
11. Do zoba___enia.　　　a ci　b trz　c cz　d c

·33

1 **Proszę powtórzyć dźwięki.** [FB021]

🎧 021
muuu – meee – ku-ku – gę-gę – hu-hu – ee-oo, ee-oo – beee – wio! – bim-bam-bom – ho-ho-ho – hau-hau – miau – tik-tak – pik-pik – puk-puk – pyk-pyk – pif-paf – hip-hip – hop-hop

2 **Proszę podpisać ilustracje wyrazami dźwiękonaśladowczymi z ćwiczenia 1, a następnie posłuchać i skontrolować.** [FB022]

🎧 022

miau
1   2   3   4

5   6   7   8

9   10   11   12

13   14   15   16

FONETYKA

3 *Proszę powtórzyć dźwięki.* [FB023]

023

tap-tap – kap-kap – kum-kum – buch-buch – mrrrr – wwww –
gul-gul – kle-kle – kukuryku – prrrr! – brrrr – wrrrr – chrrr –
kra-kra – chrum-chrum – brum-brum – gruchu-gruchu – pstryk

4 *Proszę podpisać ilustracje wyrazami dźwiękonaśladowczymi
z ćwiczenia 3, a następnie posłuchać i skontrolować.* [FB024]

024

chrum–chrum

1

2

3

4

5

6

7

8

9

10

11

12

13

14

15

16

5 **Proszę powtórzyć dźwięki.** [FB025]

🎧 025

ssss – bzzz – szszszsz – żżżżż – taś-taś – cyk-cyk – dzyń-dzyń – cip-cip – ciuch-ciuch – ciach-ciach – bęc – apsik! – szuru-buru – ćwir-ćwir

6 **Proszę podpisać ilustracje wyrazami dźwiękonaśladowczymi z ćwiczenia 5, a następnie posłuchać i skontrolować.** [FB026]

🎧 026

FONETYKA

1 **Proszę posłuchać i uzupełnić.** [FB031]

027

1. War _s z_ awa
2. ___ódź
3. G__a__sk
4. K__ak__w
5. ___ro__ław
6. Kato_i_e
7. _pol__
8. Po_na__
9. To_u_
10. Ol__t_n

11. C_ęstoc__owa
12. L_bl_n
13. K_el_e
14. _zesz_w
15. Bia__ysto_
16. Sz_ze_in
17. B_dgos__c_
18. Gor__ów
    Wielko__ol__ki
19. Z_elona __óra

2 **Gdzie to jest? Proszę posłuchać i podpisać miasta.** [FB032]

028

GDAŃSK

SZCZECIN

OLSZTYN

GORZÓW
WIELKOPOLSKI

BYDGOSZCZ

TORUŃ

BIAŁYSTOK

POZNAŃ

WARSZAWA

ZIELONA
GÓRA

ŁÓDŹ

A

WROCŁAW

LUBLIN

CZĘSTOCHOWA KIELCE

OPOLE

KATOWICE

KRAKÓW

RZESZÓW

3 **Proszę powtórzyć.** [FB033]

 029

Berno – Bratysława – Budapeszt – Bukareszt – Kijów – Kiszyniów –
Lizbona – Madryt – Mińsk – Moskwa – Nikozja – Paryż – Rzym –
Skopje – Sztokholm – Warszawa – Zagrzeb

4 **Czy znasz stolice Europy? Proszę uzupełnić, posłuchać i sprawdzić.** [FB034]

 030

1. Białoruś → *Mińsk*
2. Chorwacja → ....
3. Cypr → ....
4. Francja → ....
5. Hiszpania → ....
6. Macedonia → ....
7. Mołdawia → ....
8. Polska → ....
9. Portugalia → ....

10. Rosja → ....
11. Rumunia → ....
12. Słowacja → ....
13. Szwajcaria → ....
14. Szwecja → ....
15. Ukraina → ....
16. Węgry → ....
17. Włochy → ....

5 **Proszę posłuchać i powtórzyć.** [FB035]

031

- Aleja Mickiewicza 28
- ul. Starowiślna 17
- ul. Szewska 3
- ul. Sienna 12
- Plac Mariacki 5
- Rynek Główny 7
- ul. Radzikowskiego 29
- pl. Szczepański 13
- ul. Świętej Anny 23
- ul. Straszewskiego 11
- ul. Pachońskiego 11
- ul. Szeroka 18
- ul. Wąska 16
- ul. Kościuszki 22

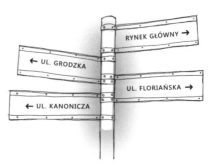

- Plac Wszystkich Świętych 6
- Plac Wolnica 8
- ul. Brzoskwiniowa 6
- ul. Pszona 27
- Aleje Trzech Wieszczów

6 **Proszę przeczytać i posłuchać.** [FB036]

 032

- ul. Szpitalna 15
- ul. Sienna 17
- Dworzec Główny

- ul. Cicha 14
- ul. Wrzesińska 9
- ul. Duża 19

- ul. Mała 10
- ul. Żółkiewskiego 13
- ul. Czarnieckiego 6

FONETYKA

7 *Proszę posłuchać i podkreślić poprawną formę.* [FB037]

033

1. <u>Agnieszka</u> | Agneska
2. Andrzej | Andrej
3. Ana | Anna
4. Bożena | Bozena
5. Cesława | Czesława
6. Elzbieta | Elżbieta
7. Eva | Ewa
8. Jerry | Jerzy
9. Julia | Iulia
10. Katarzyna | Kataszyna
11. Krystof | Krzysztof

12. Leszek | Lesek
13. Łucja | Lucja
14. Łukasz | Łukas
15. Maciek | Maczek
16. Malgorzata | Małgorzata
17. Mateusz | Mateus
18. Michał | Michaił
19. Patricja | Patrycja
20. Rafal | Rafał
21. Władysław | Władyszław

B

8 *Kto to jest? Proszę posłuchać i dopasować nazwiska do kategorii.* [FB038]

034

Banach | Curie-Skłodowska | Górecki | Kieślowski | Kopernik | Kościuszko | Lem | Lewandowski | Łukasiewicz | Miłosz | Paweł II | Penderecki ✓ | Polański | Radwańska | Sobieski | Stoch | Szopen | Szymborska | Tokarczuk | Trzetrzelewska | Wajda | Wałęsa

MUZYKA

a Krzysztof *Penderecki*
b Basia
c Fryderyk
d Mikołaj

LITERATURA

a Wisława
b Stanisław
c Czesław
d Olga

FILM

a Krzysztof
b Andrzej
c Roman

SPORT

a Robert
b Agnieszka
c Kamil

HISTORIA

a Jan III
b Jan
c Tadeusz
d Lech

NAUKA

a Maria
b Mikołaj
c Ignacy
d Stefan

1 A *Proszę posłuchać i powtórzyć.*
B **Co mówi lektor?** [FB041]

035
036

1. oko | okno
2. Małogoszczy | mało gości
3. sztych | z tych
4. książek | książę

5. panna | pana
6. stoik | słoik
7. major | mają
8. cara | kara
9. chał | kał

10. szał | ciał
11. ssak | sak
12. szyfr | syf
13. jakie | żakiet
14. Anna | Hanna

 2 A *Proszę posłuchać i powtórzyć.*
B **Co mówi lektor?** [FB042]

037
038

1. dreszcz | deszcz
2. cennik | sennik
3. sennik | siennik
4. wanien | panien
5. balia | talia

6. Halina | Alina
7. kasa | kasza
8. weź | wieś
9. lecieć | leczyć
10. jestem | gestem

11. czarny | czarne
12. wszak | szlak
13. spryt | zbyt
14. płacze | płaci

 3 A *Proszę posłuchać i powtórzyć.*
B **Co mówi lektor?** [FB043]

039
040

1. szyny | siny
2. cenny | senny
3. syna | cyna
4. szyba | siwa
5. szklankach | sankach
6. czary | szary

7. maczek | Maciek
8. córka | kurka
9. cała | ciała
10. czyta | cytat
11. czynnik | cynik

12. czarki | ciarki
13. pić | być
14. wić | wyć
15. bić | być
16. szelka | żelka

MAM SWOJĄ FIRMĘ,
CAŁY CZAS PRASUJĘ.

FONETYKA
polski w praktyce

GRY FONETYCZNE

B

1 **Proszę posłuchać i ponumerować.** [FB051]

041

_0_ = cieć	___ = sześć	___ = żęć	___ = trzeć	___ = drżeć
___ = sieć	___ = cześć	___ = zięć	___ = drzeć	___ = szczęść

2 **Każde słowo to inna cyfra – proszę popatrzeć na ćwiczenie 1.**
Co mówi lektor? Jaki to numer? [FB052]

042

1. _182_   4. ....   7. ....

2. ....   5. ....   8. ....

3. ....   6. ....

3 **Każda cyfra to inne słowo – proszę popatrzeć na ćwiczenie 1.**
Proszę przeczytać numery słowami. [FB053]

1. 896   3. 432   5. 284   7. 710
2. 107   4. 679   6. 536   8. 083

1. żęć, zięć, sześć

4 **Każda cyfra to inne słowo – proszę popatrzeć na ćwiczenie 1. Jaki masz**
numer telefonu? Jaki numer telefonu ma twój kolega? [FB054]

cieć –sieć –trzeć –drżeć –trzeć –zięć –drżeć –
cieć – cześć –sieć: 012 429 40 51

5 **Proszę w parach napisać po 1-2 słowa, które zaczynają się**
od podanych liter. Następnie proszę je przeczytać. [FB055]

B	_brawo,_	R	....
CZ	....	SZ	....
CH	....	SZCZ	....
Ć	....	Ź	....
PSZ	....	Ż	....

6

🎧 043

Proszę posłuchać wiersza „Buła, bibuła" M. Strzałkowskiej i:
A *uporządkować głoski (pierwsze litery słów) w słyszanej kolejności*
B *dopisać do każdej głoski po 2 z usłyszanych słów.* [FB056]

→ 119

B	①	*buła*	R	◯	
		bibuła			
CH	◯		SZ	◯	
CZ	◯		SZCZ	⑦	
Ć	◯		Ź	◯	
PSZ	◯		Ż	◯	*żarówka*
					żaba

7

Kto zna więcej? Proszę zamknąć oczy i wybrać palcem
1 głoskę, a następnie zrobić maksymalnie długą listę słów,
w których jest ta głoska. [FB057]

| K | H/CH | D | N | R | Ł | SZ | DZ | Z |

| L | C | Ż/RZ | Ą | Ó/U | G | Ś/SI | Ć/CI |

| S | F | B | Ź/ZI | A | E | J | W | T |

| I | CZ | O | Y | M | DŻ | P | Ń/NI | Ę |

D-dobry, dom, drogi, modny, dentysta,
podróżować...

FONETYKA

8

A **W parach na podstawie ćwiczenia 6 proszę odtworzyć słyszany wiersz.**
B **Proszę posłuchać jeszcze raz i skorygować błędy.**
C **Proszę powtarzać wiersz za lektorem po 2 wersy.** [FB058]

044

B

Buła, ... ,
baobab , ... ,
żądło , ... ,
.... , ... ,
.... , ... ,
.... , ... ,
.... , ... ,
.... , *Chechło* , ... ,
.... , *pszczołojad* ,
.... , ... ,
.... , *ździebełko* ,
.... , ... ,
szczebel, ... ,
.... , ... ,
Ćmielów , ... , ... ,
i .... ,
.... , ... ,
.... , ... ,
czub , ... , ... ,
i – .... !

Spyta ktoś, co stąd wynika?
Gimnastyka dla języka!

9

Proszę wybrać 1 głoskę z ćwiczenia 7, a następnie proszę napisać tekst, w którym jest maksymalnie dużo słów z tą głoską. [FB059]

D - Duński dentysta dał modnej damie drogi dom z ładnym dachem...

....
....
....
....
....
....

1   *Proszę posłuchać i uzupełnić.* [FB061]

045

NAUCZYCIELKA:	Uwe, proszę *przeczytać* tekst numer 1.
UWE:	„Mam .... szarawary i .... kaftan, turbany wyszywane szczerozłotym haftem".
NAUCZYCIELKA:	.... Mami, proszę tekst numer 2.
MAMI:	„Stara .... szoruje szczotką .... ściany wspomnień". Uff, skomplikowane.
NAUCZYCIELKA:	Bardzo ...., dziękuję. Teraz María tekst numer 3.
MARÍA:	„Widziałem *faceta*...
NAUCZYCIELKA:	Uwaga!
MARÍA:	Aaa, „............... faceta ze snopkiem szarego żyta, śledzącego .... chimery chmur".
NAUCZYCIELKA:	Świetnie. Tom, ... tekst numer 4.
TOM:	„I cóż *ze że ze ze*", ojej fatalnie!
NAUCZYCIELKA:	Tom, spokojnie, proszę powtórzyć: „I cóż, że ze Szwecji".
TOM:	I cóz, o nie, coż, moment, cóż, że ze ....
NAUCZYCIELKA:	Jeszcze raz, Tom.
TOM:	„I ...., że ze Szwecji".
NAUCZYCIELKA:	Teraz .... dobrze. Manuela, proszę tekst numer 5.
MANUELA:	„...............". Nie, nie! Źle! „............... w pracy trzeba rodacy".
NAUCZYCIELKA:	Dziękuję. I Emma, tekst numer 6.
EMMA:	„Krzywy krzew krzewił się kalecząc kształtny kształt ogrodu".
NAUCZYCIELKA:	Świetnie. Dziękuję bardzo. Do jutra.

2   *Proszę powtórzyć.* [FB062]

046

- Sara – szare
- cara – czarę
- ciotka – szczotka
- czysty – częsty
- czyżby – ciżby

- śledź – sieć
- śledzącego – siedzącego
- prasować – pracować
- krzywy – grzywy
- faceta – maczeta

FONETYKA

Proszę posłuchać i powtórzyć. [FB063]

 047

1. Mam szare szarawary i czerwony kaftan, turbany wyszywane szczerozłotym haftem.
2. Stara ciotka szoruje szczotką siwe ściany wspomnień.
3. Widziałem faceta ze snopkiem szarego żyta, śledzącego zimowe chimery chmur.
4. I cóż, że ze Szwecji.
5. Pracować w pracy trzeba rodacy.
6. Krzywy krzew krzewił się kalecząc kształtny kształt ogrodu.

 Proszę posłuchać i powtórzyć. [FB064]

048

1. W Szczebrzeszynie chrząszcz brzmi w trzcinie.
2. Cześć, Czesiek! Czeszesz się częściej często czy częściej czasem?
3. Dziewięćsetdziewięćdziesięciodziewięciotysięcznik.
4. Gdy Pomorze nie pomoże, to pomoże może morze, a gdy morze nie pomoże, to pomoże może Gdańsk.
5. Szedł Sasza suchą szosą, bo po suszy szosa sucha.
6. Idzie Jerzy i nie wierzy, że na wieży jest sto jeży i pięćdziesiąt jeżozwierzy.

 Proszę posłuchać i powtórzyć. [FB065]

049

1. Jola lojalna z nielojalną Jolą łajają jowialnego lokaja.
2. Król Karol kupił królowej Karolinie korale koloru koralowego.
3. Na cacy tacy cykuta z cytatą Tacyta.
4. Nie pieprz, Pietrze, wieprza pieprzem, bo przepieprzysz wieprza pieprzem.
5. Siedziała małpa na płocie i żarła słodkie łakocie.
6. Czy trzy cytrzystki grają na cytrze, czy druga gwiżdże, a trzecia łzy trze?

 Proszę posłuchać i powtórzyć. [FB066]

050

1. Pod kaloryferem leży wyrewolwerowany rewolwerowiec.
2. Podczas dżdżu nie zmiażdż dżdżownicy.
3. Poczmistrz z Tczewa, rotmistrz z Czchowa.
4. Spod czeskich strzech szło Czechów trzech.
5. Szczoteczka szczoteczce szczebioce coś w teczce.
6. Trzeba trzcinę trzepać trzcinową trzepaczką.

SPECYFICZNE TRUDNOŚCI

01 AKCENT 47

02 E / Y / I 49

03 Ą / Ę 52

04 B / W 55

05 R / L 57

06 L / Ł 60

07 Ł / W 62

08 PODWÓJNE GŁOSKI 64

09 Ś, Ź, Ć, DŹ 65

10 SZ, Ż, CZ, DŻ 68

11 S / Ś / SZ, Z / Ź / Ż, C / Ć / CZ, DZ / DŹ / DŻ 71

12 TRZ / DRZ / WRZ / PRZ 74

13 SZCZ / ŚĆ 77

KLUCZ ODPOWIEDZI 122

AKCENT

1 *Proszę podkreślić sylabę akcentowaną.* [FC011]

<u>ak</u>-cent | sy-la-ba | ho-tel | kom-pu-ter | Bar-ba-ra | ka-tar | au-to-bus |
ge-o-gra-fia | his-to-ria | ga-raż | fan-tas-tycz-nie | la-bo-ra-to-rium |
res-tau-ra-cja | au-to-bio-gra-fia | in-te-re-su-ją-cy | in-ter-na-cjo-na-lizm

2 A *Proszę posłuchać i podkreślić sylabę akcentowaną.*
B *Proszę wpisać wyrazy w odpowiednie miejsce tabeli.* [FC012]

🎧 051 <u>mu</u>zyka | exposé | matematyka | eksmąż | wiedziałabym | uniwersytet |
zrobilibyśmy | siedemset | pięciuset | USA | ojej! | pisaliście | ryzyko | ahoj! |
rozmawiałyśmy | supermecz | wygraliby | odpowiedzielibyście | menu | ONZ

akcent na trzecią sylabę od końca	akcent na czwartą sylabę od końca	akcent na ostatnią sylabę
1 ZAKOŃCZONE NA -IKA / -YKA	6 MY I WY W TRYBIE PRZYPUSZCZAJĄCYM	7 SKRÓTOWCE
muzyka		
2 MY I WY W CZASIE PRZESZŁYM		8 JEDNOSYLABOWE Z OBCYMI PREFIKSAMI
3 NIEKTÓRE WYRAZY ZAPOŻYCZONE		9 NIEKTÓRE WYRAZY ZAPOŻYCZONE Z JĘZYKA FRANCUSKIEGO
4 TRYB PRZYPUSZCZAJĄCY Z WYJĄTKIEM MY I WY		10 NIEKTÓRE WYKRZYKNIKI
5 LICZEBNIKI TRZYSYLABOWE Z KOŃCÓWKĄ -SET		

3 A *Proszę posłuchać i podkreślić sylabę akcentowaną w wyrazach.*
B *Proszę wpisać numer reguły z tabeli z ćwiczenia 2.* [FC013]

🎧 052

<u>mi</u>nimum → (3) | tournée → ( ) | apsik! → ( ) | PTTK → ( )

purée → ( ) | sześciuset → ( ) | dziewięćset → ( ) | logika → ( )

informatyka → ( ) | PKP → ( ) | kinderbal → ( ) | foyer → ( )

prezydent → ( ) | w ogóle → ( ) | rzeczpospolita → ( )

wicemistrz → ( ) | wiedziałbym → ( ) | matematykiem → ( )

komitet → ( ) | apéritif → ( ) | atelier → ( ) | okolica → ( )

mówiłby → ( ) | przeczytałybyśmy → ( )

4 A *Proszę posłuchać i podkreślić wszystkie akcentowane sylaby w cytatach.*
B *Proszę wypisać wszystkie wyrazy, które nie są akcentowane.* [FC014]

🎧 053

1. *<u>Wiem</u>, że nic <u>nie</u> wiem.* Sokrates

2. *Nic dwa razy się nie zdarza / I nie zdarzy. Z tej przyczyny / Zrodziliśmy się bez wprawy / I pomrzemy bez rutyny.* W. Szymborska, „Nic dwa razy"

3. *Życie jest jak pudełko czekoladek – nigdy nie wiesz, co ci się trafi.*
W. Groom, „Forrest Gump"

4. *Kiedy łamiesz zasady, łam je mocno i na dobre.* T. Pratchett, „Trzy wiedźmy"

5. *Lepiej bez celu iść naprzód niż bez celu stać w miejscu, a z pewnością o niebo lepiej, niż bez celu się cofać.* A. Sapkowski, „Wieża jaskółki"

6. *Zwierzęta w ogrodzie patrzyły to na świnię, to na człowieka, potem znów na świnię i na człowieka, ale nikt już nie mógł się połapać, kto jest kim.*
G. Orwell, „Folwark zwierzęcy"

7. *Jeśli możesz żyć wiecznie, to musisz wiedzieć, po co żyjesz.* S. Meyer, „Zmierzch"

8. *Człowiek naraża się na łzy, gdy raz pozwoli się oswoić.* A. de Saint-Exupéry, „Mały Książę"

9. *Co ma być to będzie, a jak już będzie, to trzeba się z tym zmierzyć – powiedział Hagrid.* J. K. Rowling, „Harry Potter i Czara Ognia"

1. że, nic, wiem

1 **Proszę posłuchać i powtórzyć.** [FC021]

054

E	Y	I
1. me	my	mi
2. nowe	nowy	nowi
3. małe	mały	mali
4. tanie	tany	tani
5. duże	duży	duzi
6. ranie	rany	rani
7. grube	gruby	grubi
8. żywe	żywy	żywi
9. rybie	ryby	rybi
10. drobne	drobny	drobni

2 **Co mówi lektor? Proszę napisać numer słowa przy literze.** [FC022]

055

| E | Y | I |

1,

3 **Takie same czy różne? Proszę posłuchać i napisać numery w odpowiedniej kolumnie.** [FC023]

056

TAKIE SAME	RÓŻNE
	1

4 **Proszę powtórzyć.** [FC024]

057
1. Moje miłe myły mnie mile.
2. Miły by był, gdyby nie bił, pił ni wył.
3. Dewizy i wizy wywozi w dwa wozy.
4. W Bieczy byczyli się i beczeli „bee".
5. Zeszły ze trzy zeszyty.
6. Czyż czysty szyby często nie czyści?
7. Hej, wy trzej, wytrzyjcie szyje i wetrzyjcie kremy.

5 **Proszę posłuchać, co mówi lektor i uzupełnić litery.** [FC025]

🎧 058 | e | y | i | ie

1. trz*y*
2. czt_r_
3. sz_ść
4. z_sz_t
5. jak_
6. star_
7. now_
8. prz_l_t_rować

9. prz_cz_tać
10. dobrz_
11. szar_
12. gdz_
13. krz_sło
14. ucz_sz
15. w_c_

16. ćw_cz_n__
17. wsz_stko
18. c_b_
19. sł_chać
20. dz_wcz_na
21. naucz_c_lka
22. s_d_mnaśc_

6 **Co mówi lektor?** [FC026]

🎧 059

a <u>bisy</u> | biesy | biesi | bisie
b wyży | wieży | wieże | wyże
c byczy | beczy | bicze | Bieczy
d pyzy | Pizy | pyzie | Pizie
e bici | bicie | bycie | becie
f myty | mity | myte | mety
g przyszły | przeszły | przyszłe | przeszłe
h przyszyte | przyszyty | przeszyte | przeszyty

7 **Co mówi lektor? Proszę zanotować kolejność.** [FC027]

🎧 060

a (*2*) bisy → (*1*) biesy → (*3*) biesi → (*4*) bisie
b ( ) wyży → ( ) wieży → ( ) wieże → ( ) wyże
c ( ) byczy → ( ) beczy → ( ) bicze → ( ) Bieczy
d ( ) pyzy → ( ) Pizy → ( ) pyzie → ( ) Pizie
e ( ) bici → ( ) bicie → ( ) bycie → ( ) becie
f ( ) myty → ( ) mity → ( ) myte → ( ) mety
g ( ) przyszły → ( ) przeszły → ( ) przyszłe → ( ) przeszłe
h ( ) przyszyte → ( ) przyszyty → ( ) przeszyte → ( ) przeszyty

FONETYKA

8 **Proszę posłuchać wiersza i uporządkować go.** [FC028]

→ 120

🎧 061

- ◦ pięty zmęczyli,
- ◦ czekałyby Byłych przecie na mecie.
- *1* Biegali raz chyżo, by nie być w tyle
- ◦ Dyszeli jak miechy,
- ◦ lecz ileż uciechy,
- ◦ Lecz Leszek Dzisiejszy
- ◦ Wieńce, wiwaty, i co jeszcze chcecie
- ◦ gdyby przybyli!
- ◦ ech, źle jest dziś tym trzem.
- ◦ teraz jest mistrzem.
- ◦ Wstyd nie chce być mniejszy –
- ◦ Brygida Była, jej Były i Byłe.

9 **Proszę posłuchać wiersza „Gdybanie Byłych" i uzupełnić litery.** [FC029]

→ 120

🎧 062

| e | y | i |

Biegali raz ch_y_żo, by nie b_ć w tyle
Bryg_da Była, j_j Były i B_łe.
Dysz_li jak mi_chy,
pięt_ zmęczyl_,
lecz il_ż uci_chy,
gd_by prz_byli!
Wi_ńce, wiwaty, i co jeszcz_ chcecie
czekał_by Byłych prz_cie na mecie.
L_cz Leszek Dz_siejszy
teraz jest m_strzem.
Wst_d nie chc_ być mniejszy –
_ch, źle jest dziś t_m trzem.

1 **Proszę powtórzyć.** [FC031]

063

- miesiąc – miesięcy
- zając – zajęty
- pięć – piąty
- przyjął – przyjęli
- pracuję – pracują

- księgarnia – książka
- ząb – zęby
- mąż – męża
- dziewięć – dziewiąty
- rąk – ręka

2 **Proszę powtórzyć.** [FC032]

064

są – ładną – oglądasz – interesujący – pstrąg – gołąbki – pociąg – odpocząć – wziął – wąski – pieniądze – piątek – przyjął – książka – bądźmy – mąka – ząb – gorączka – zacząłem – brązowy – wyjąć

3 **Proszę posłuchać i zdecydować, jak lektor wymawia literę ą.** [FC033]

065

ą	o	om
są,		

on	oń	oŋ

FONETYKA

4 ***Proszę posłuchać i powtórzyć.*** [FC034]

🎧 066

dziewięć – uczę się – następnie – zajęty – mięso – zmęczony – ręka –
język – mężczyzna – zamknęłyśmy – zdjęcia – w niedzielę – urzędnik –
wzięli – spędzać – ciężki – będzie – tęgi – zęby – piękna – mięśnie

5 ***Proszę posłuchać i zdecydować, jak lektor wymawia literę ę.*** [FC035]

🎧 067

ę	e	em

en	eń	eŋ
	dziewięć	

6 ***Proszę posłuchać i zdecydować, jak lektor wymawia te słowa?*** [FC036]

🎧 068

ę/ą | e/o | em/om | en/on | eń/oń | eŋ/oŋ | e ✓ | ą

1. na końcu wyrazu *(robię, gitarę, tańczę)* → *e*
2. na końcu wyrazu *(robią, gitarą, tańczą)* →
3. przed **k, g** *(mąka, ręka, posągi, lęgu)* →
4. przed **ć/ci, dź/dzi** *(pięć, zdjąć, będzie, bądź)* →
5. przed **p, b** *(następnie, trębacz, zęby, gąbka)* →
6. przed **ł, l** *(wzięła, zdjął, wyjęli)* →
7. przed **t, d, c, dz, cz** *(zajęty, oglądasz, śpiący, spędzać, zmęczony)* →
8. przed **s, z, ś/si, ź/zi, sz, ż, f, w, ch** *(mięso, brązowy, mięśnie, gałąź, węszyć, książę, fąfel, wąwóz, wąchać)* →

·53

7   **Proszę posłuchać i powtórzyć.** [FC037]

069

1. Dziękuję, chętnie, ale pięć po piątej zajęta wciąż będę.
2. W piątek będą ciąć – tępą piłą bądź co bądź.
3. Za pięć miesięcy wszędzie wędliny więcej będzie.
4. Kręcone, gęste wąsy męskie podcięła chętnie ciężkim sprzętem.

8   **Proszę posłuchać wiersza „Dzięcioł"**
M. Strzałkowskiej i uporządkować słowa. [FC038]   → 120

070

- ⬭   pień
- ⬭   z
- ⬭   dzięcioł
- *1*   Czarny
- ⬭   chęcią
- ⬭   ciął

9   **Proszę posłuchać wiersza „Bąk"**
M. Strzałkowskiej i uzupełnić go słowami. [FC039]   → 119

071 | bąk | pąk | strąk | zląkł |

Spadł *bąk*............

na ....,

a ....

na ....

Pękł ....,

pękł ....,

a .... się ....

10   **Co to jest? Proszę podpisać i zapisać**
w transkrypcji fonetycznej. [FC0310]

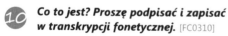

1   2   3   4

strąk
[stroŋk]

FONETYKA

B / W

C

1 **Proszę uzupełnić.** [FC041]

	A	B	W
PAŃSTWO	Austria		
MIASTO	Amsterdam		
IMIĘ	Anna		
NAZWISKO	Abakanowicz		
RZECZ (co?)	album		
PRZYMIOTNIK (jaki?)	ambitny		
CZYNNOŚĆ (co robi?)	adresuje		

2 **Jakie znasz wyrazy na literę B i W?** [FC042]

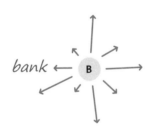

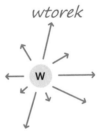

3 A **Proszę powtórzyć.**
B **Co mówi lektor?** [FC043]

072
073

a owa | <u>oba</u>

b wary | bary

c wozie | bozie

d zwierzę | zbierze

e wrodzą | brodzą

f kawały | kabały

g wiały | biały

h wiedzą | biedzą

i Rawie | Rabie

j wryli | bryli

k pawie | pubie

4 **Proszę posłuchać i uzupełnić.** [FC044]

🎧 074 | w | b

a   *b* a *w* i
b   __ ez __ rały
c   __ y __ ieje
d   z __ a __ iony
e   __ ra __ a
f   __ r __ i

g   __ yr __ a
h   za __ ar __ ić
i   __ yrą __ ie
j   po __ a __ ny
k   __ a __ cia
l   z __ a __ ią

m   o __ a __ ia
n   __ y __ ielony
o   po __ ie __ ają
p   __ y __ rzmie __ ać
q   __ __ re __

5 **Proszę posłuchać wiersza „Baby obawy" i uzupełnić litery.** [FC045] → 119

🎧 075 | b | w

Pewna baba si *w* a, co żywot pra___y ___iedzie
W potwornej, wbrew z___yczajom, znalazła się ___iedzie.

___o w czwartek gdy ___aśce ka___ałę stawiać wyszła
Na wietrze, ___urzy zostawić śmiała ___yżła.

___ył wyżeł bez przerwy, wnet ___y wywalić mógł drz___i
Nie wiedziano ___e wsi, że ___aba u Baśki tkwi.

W piątek – o___elgi, ___yzwiska... Nikt nie krył wz___urzenia.
Czyż ___ięc wyglądać wciąż ___inna baba zba___ienia?

BAWCIE SIĘ DOBRZE!

BABCIE?! JAKIE BABCIE?!

FONETYKA
polski w praktyce

1 **Proszę powtórzyć.** [FC051]

076

- adda – oddo – edde
- otto – utto – ytto
- d-d-dra – d-d-dre – d-d-dro
- dra-dre-dro-dru-dry
- tra-tre-tro-tru-try

- bra-bre-bro-bru-bry
- pra-pre-pro-pru-pry
- gra-gre-gro-gru-gry
- kra-kre-kro-kru-kry

2 **Proszę powtórzyć.** [FC052]

077

- drabina – drobne – dres – trawa – tron – trębacz – broda – praca – grosze – kreda
- adres – podróż – kwadrans – wiatrak – metro – cytryna – zebra – papryka – ogrody – sekret
- ra – re – ro – ru – ry – rakieta – radio – rebus – regał – robot – ropa – róża – rumak – rydwan – ryje
- ara – ere – oro – uru – yry – parawan – kora – teren – Turek – korona – Karol – kuruje – steruje – pyry – pomidory
- ar – er – ir – or – ur – filar – pomiar – pasażer – monter – kir – zbir – doktor – autor – pazur – abażur
- portret – traktor – gardło – chrypka – profesor – referat – Artur – rarytas – fryzjer – rumor

3 **Proszę uzupełnić.** [FC053]

	A	R	L
PAŃSTWO	Austria		
MIASTO	Amsterdam		
IMIĘ	Anna		
NAZWISKO	Abakanowicz		
RZECZ (co?)	album		
PRZYMIOTNIK (jaki?)	ambitny		
CZYNNOŚĆ (co robi?)	adresuje		

4

078

A *Proszę posłuchać lektora i podpisać rysunki.*
B *Proszę powtórzyć za lektorem.* [FC054]

1
_l_ ew

2
__ak

3
__yba

4
__ower

5
__ody

6
__ekin

7
__izak

8
__eki

9
__upa

10
__obak

11
__ura

12
__aska

5

079
080

A *Proszę powtórzyć.*
B *Co mówi lektor?* [FC055]

a rak | <u>lak</u>
b rokiem | lokiem
c fura | fula
d ręki | lęki
e kran | klan

f rama | lama
g Raba | laba
h reszka | Leszka
i fara | fala
j lira | lila

k rura | lura
l para | pala
m berka | belka

6

081

Proszę posłuchać i uzupełnić. [FC056]

| r | l |

a ko _l_ o _r_
b __o__nik
c ke__ne__
d __e__acja
e __aba__ba__
f sk__ęcić w __ewo

g __o__ki
h __a__um
i __a__ka
j k__ó__ik
k uk__ad__i
l ka__tof__e

m k__op__a
n po__a__ny
o __u__on
p wyg__a__i
q k__ok po k__oku

58 ·

→ 121

7 Proszę posłuchać wierszy M. Strzałkowskiej „Królik"
i „Lula" i zdecydować, ile razy słychać: [FC057]

🎧 082 083

| R | | L |

....

→ 121

8 Proszę posłuchać wiersza „Królik" i uzupełnić brakujące słowa. [FC058]

🎧 084

Kurkiem _k_ _r_ _a_ _n_ _u_ kręci kruk,

__ __ __ __ __ __ tranu brudząc __ __ __ __ ,

a przy kranie,

robiąc __ __ __ __ __ __ ,

królik gra na __ __ __ __ __ __ __ __ __ __ __ .

→ 121

9 Proszę posłuchać wiersza „Lula" i uzupełnić go słowami. [FC059]

🎧 085

| Lula | pan | fan | tuli ✓ | Luli | hula | Lula | tuli |

Tulipany _tuli_ .... ,

W Tulipanach ....

Tulipany .... ,

Tulipanów ....

→ 120

10 Proszę posłuchać wiersza „Goryl" M. Strzałkowskiej
i podkreślić właściwe słowa. [FC0510]

🎧 086

Turlał (Turlał / Tu lał) goryl po _____ (ulach / Urlach)

_____ (kolorowe / koronkowe) korale,

Rudy _____ (góral / gula) kartofle

tarł _____ (na tarce / Natalce) wytrwale.

Gdy spotkali się w _____ (ulach / Urlach),

Góral _____ (łkał / tarł), goryl _____ (turlał / tu lał),

chociaż sensu nie _____ (było / berło) w tym wcale.

_C_

1 **Proszę powtórzyć.** [FC061]

087
- ła – ła – ławka – łapa – łazienka
- ło – ło – łodyga – łopata – łokieć
- ły – ły – łykać – łysy – łyżka
- łu – łu – łuska – łódka – łóżko

2 **Proszę powtórzyć rymowanki za lektorem.** [FC062]

088

1
- ała – oła – iła
  biała szkoła lśniła
- oło – oła – yła
  koło sioła była
- oły – eły – iły
  woły wzięły piły
- ołe – ałą – yły
  szkołę całą zryły

2
- ał – ał – sandał miał
- eł – eł – kubeł kieł
- oł – oł – osioł ciął
- uł – uł – tytuł snuł
- ył – ył – ożył pył

3 **Proszę uzupełnić tabelę słowami, a następnie posłuchać
i powtórzyć za lektorem.** [FC063]

089

łyka | Łukasz | Lech | Luksemburg | łóżko | leci | Łódź | lekki | łysy | Łotwa |
Łukasiewicz | liczy | Łeba | Leżajsk | Łucja | Lidia | Lewandowski | Linda |
Litwa | Łazuka | lustro | lalka | liliowy | łaciaty | łapie | ładowarka | Lublin

	A	L	Ł
PAŃSTWO	Austria		
MIASTO	Amsterdam		
IMIĘ	Anna		
NAZWISKO	Abakanowicz		
RZECZ (co?)	album		
PRZYMIOTNIK (jaki?)	ambitny		
CZYNNOŚĆ (co robi?)	adresuje		

FONETYKA
polski w praktyce

4

A *Proszę powtórzyć.*
B *Co mówi lektor?* [FC064]

090
091

a lata | łata   f losie | łosie   k laska | łaska

b lęgi | łęgi   g tylu | tyłu   l lamy | łamy

c cola | koła   h bula | buła   m lawa | ława

d opalu | opału   i lala | lała

e pól | pół   j luzie | łuzie

5 *Proszę posłuchać i uzupełnić litery.* [FC065]

092

| l | ł

1. Po_ / a ł y się __zy na g__upie __ata m__ode.
2. Or__y __ata__y, bo tak wo__a__y, go__ębie ucieka__y.
3. __aciata Mi__a __asi__a się do ko__an, i__ekroć ją po __apie g__aska__i.
4. Ha__aś__iwy ma__uch __iza__ ga__kę __odów wani__iowych.
5. Uk__ada__i o__ówki na szko__nej pó__ce, wa__cząc sta__e z ba__aganem.
6. I__eż się biedzi__ i trudzi__ nad __amig__ówką d__a ma__ych ch__opców.

6 *Proszę posłuchać i uzupełnić litery.* [FC066] → 121

093

| l | ł

Przy _ / esie w u__u ży__a pszczo__a ma__a
Co __atać do szko__y wca__e nie chcia__a.
O __odach, __ąkach ty__ko by marzy__a,
A z __iczb, __iter, ca__ek __edwie nie kpi__a.

KAWA NA LAWĘ?!

1 *Proszę posłuchać i podpisać ilustracje.* [FC071]

 094 | w | ł |

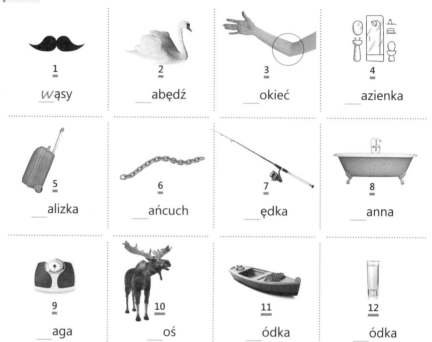

1
w̲ąsy

2
___abędź

3
___okieć

4
___azienka

5
___alizka

6
___ańcuch

7
___ędka

8
___anna

9
___aga

10
___oś

11
___ódka

12
___ódka

2

A *Proszę posłuchać i powtórzyć.*
B *Co mówi lektor?* [FC072]

 095 096

a łuz | w̲ó̲z̲
b łyka | wyka
c brało | brawo
d łut | wód
e łada | wada

f łacha | waha
g skryła | skrywa
h kiła | kiwa
i obmyła | obmywa
j połap | powab

k pełny | pewny
l woły | łowy
m muł | mów
n ławek | wałek

FONETYKA
polski w praktyce

3 **Proszę posłuchać i uzupełnić tekst.** [FC073]

🎧 097

| w | ł

„Opo_wieść_ o __ac__a__ie"

__ielb__ąd __ac__a__ by__ z__ym p__y__akiem.

Na__et z p__et__ami nie by__o mu łat__o,

__ięc kupi__ no__ą __ódkę

i postano__i__ treno__ać żeglarst__o.

Pe__nego razu p__yną__ __zd__uż __is__y,

__eso__y bardzo, bo ____aśnie z__o__i__ ____ososia.

Niespodzie__anie zaczą__ __iać __ściek__y __iatr

i por__a__ p__ótno na __ąskie ka__a__ki.

cdn.

4 **Proszę posłuchać i uzupełnić tekst.** [FC074]

🎧 098

Chwycił Wacław _wiosła_, z wysiłkiem nimi wywijał.

Wtem _____ zrobiła gwałtowny przechył

i wpadł Wacław do wody z łomotem.

Długo _____ z żywiołem, lecz w końcu... nauczył się

_____!

Wpław dotarł do _____ wiślanych, potem do Władysławowa,

a tam zaciągnął się na statek wycieczkowy.

We wrześniu przebywał we _____ południowych,

a w przyszły czwartek zwiedza _____.

POPROSZĘ ŁÓDKĘ.

PODWÓJNE GŁOSKI

1
099
100

A **Proszę posłuchać i powtórzyć.**
B **Co mówi lektor?** [FC081]

a <u>za</u> | zza
b dłuży | dłuższy
c leki | lekki
d pana | panna
e ceny | cenny

f vana | wanna
g winy | winny
h korony | koronny
i węszy | węższy
j fiolety | Wioletty

k podać | poddać
l beza | bessa
m gościny | gościnny

2
101

Proszę podkreślić podwójne głoski, a następnie powtórzyć za lektorem. [FC082]

mię<u>kk</u>i | przestronny | oddychać | powinnyśmy | przeciwwskazania | dziennikarz | konno | samoobsługowy | bez skutku | inny | codziennie | Zorro | lobbing | hossa

3
102

Proszę posłuchać i skorygować tekst „Anna w lobby"
(dopisać podwójne głoski). [FC083]

→ 119

– Czy to pokój jest ~~gościny~~?
– Raczej dzieny – całkiem iny.
Mięka sofa, cena wana,
odech złapie pana Ana.
Loby zaś to hol przestrony
Zmieści się i zaprzęg kony.

1. *gościnny*
2. ....
3. ....
4. ....
5. ....
6. ....

PANNA
DLA PANA.

FONETYKA
polski w praktyce

Ś / Ź / Ć / DŹ

C

1 ***Proszę posłuchać i powtórzyć.*** [FC091]

103

S	Ś
• su-se-sa	• siu-sie-sia
• is-os-ys	• iś-oś-yś
• kaska	• Kaśka
• pas	• paś
• rysa	• Rysia
• basu	• Basiu
• sanie	• sianie

104

Z	Ź
• ze-zo-zu-za	• zie-zio-ziu-zia
• izu-yzu	• iziu-yziu
• zmazę	• zmazie
• płozę	• płozie
• łuzę	• łuzie
• kozy	• kozi
• gazę	• gazie
• złe	• źle

105

C	Ć
• co-ca-cu-ce	• cio-cia-ciu-cie
• ace-yce	• acie-ycie
• cała	• ciała
• lec	• leć
• cegła	• ciekła
• kica	• kicia
• cniła	• ćmiła
• parce	• parcie

106

DZ	DŹ
• dza-dze-dzo-dzu	• dzia-dzie-dzio-dziu
• edze-adze	• edzie-adzie
• wodzy	• wodzi
• lidze	• Lidzię
• Jadze	• jadzie
• gardzę	• gardzie
• przechodzeń	• przechodzień

2 A ***Jakie to nazwisko? Proszę posłuchać i napisać numer słowa w dobrej kolumnie.***
B ***Proszę posłuchać jeszcze raz i napisać nazwiska.*** [FC092]

107

S	Z	C	DZ
	1 –		

Ś / SI	Ź / ZI	Ć / CI	DŹ / DZI
– Sikora			

3

🎧 108 109

A *Proszę posłuchać i powtórzyć.*
B **Co mówi lektor?** [FC093]

S/Z/C/DZ	Ś/Ź/Ć/DŹ
a	• kasa	• Kasia
b	• kica	• kicia
c	• zmazę	• zmazie
d	• basu	• Basiu
e	• wodzy	• wodzi
f	• sanie	• sianie
g	• cała	• ciała
h	• Jadze	• jadzie
i	• łuzę	• łuzie
j	• gaz	• gaś

4

🎧 110

Proszę posłuchać i uzupełnić słowa literami.
Następnie proszę powtórzyć za lektorem. [FC094]

| ś | ź | ć | dź

Ź̲rebak | __wig | __ma | __piewa | o__lę |
wo__ny | je__my | __ródło | mi__ | łapa__

5

🎧 111

Proszę posłuchać i uzupełnić słowa literami.
Następnie proszę powtórzyć za lektorem. [FC095]

| si | zi | ci | dzi

zi̲emia | __ało | __ódmy | __oła | __ennik |
po__ąg | __ęba | __ura | *__lny, *__wny

6

Proszę przepisać z ćwiczeń 4 i 5 słowa z pogrubionymi
literami, a następnie podkreślić te litery. [FC096]

④ → *źrebak,* ....

....

⑤ → *ziemia,* ....

....

Podkreślone litery w ćwiczeniu 4 to ś̲ __ __ __ __ __ __ __ __ __ ,
a w ćwiczeniu 5 to ś̲ __ __ __ __ __ __ __ __ __ .

FONETYKA

7 *Co pasuje? Proszę podać przykłady z ćwiczeń 3 i 4.* [FC097]

- piszemy przed spółgłoskami, np.

  *źrebak*____,

  ....

| Ś | Ź |
| Ć | DŹ |

- piszemy na końcu wyrazu, np.

  ....,

- piszemy przed samogłoskami, np.

  ....,

  ....

| SI | ZI |
| CI |
| DZI |

- piszemy, jeśli „i" tworzy sylabę, np.

  ....,

---

8 *Proszę posłuchać, ponumerować słowa i napisać 4 wiersze – „lepieje".* [FC098]

112

1. pościć | lepiej | niźli | pięć | śledzia | niedziele | ości | dwie | zjeść

   ◯ ① ◯ ◯ ◯ ◯ ◯ ◯ ◯

   Lepiej ....

   ....

2. ślepym | o tym | mówić | lepiej | ośle | pośle | gnać | na | niźli

   ◯ ◯ ◯ ① ◯ ◯ ◯ ◯◯ ◯

   Lepiej ....

   ....

3. oliwą | świekrę | łodzie | mieć | niźli | myć | złośliwą | lepiej

   ◯ ◯ ◯ ◯ ◯ ◯ ◯ ①

   Lepiej ....

   ....

4. niźli | w styczniu | lepiej | koniczyna | śnieżna | późna | zima

   ◯ ◯ ① ◯ ◯ ◯ ◯

   Lepiej ....

   ....

1 *Proszę posłuchać i powtórzyć.* [FC101]

113

S	SZ
• so-se-sa	• szo-sze-sza
• isy-usu	• iszy-uszu
• suka	• szuka
• syki	• szyki
• sumy	• szumy
• soku	• szoku
• wypis	• wypisz
• sale	• szale

114

Z	Ż
• za-zy-zo-ze	• ża-ży-żo-że
• uzu-izu	• użu-iżu
• zer	• żer
• wazy	• waży
• zebrała	• żebrała
• zzuć	• zrzuć
• kozy	• korzy
• łzą	• łżą
• gaza	• gaża

115

C	CZ
• ca-ce-co-cy	• cza-cze-czo-czy
• ocu-icu	• oczu-yczu
• cara	• czara
• cuć	• czuć
• bacy	• baczy
• macanie	• maczanie
• wylecą	• wyleczą
• tacka	• taczka

116

DZ	DŻ
• dzo-dza-dzu-dzą	• dżo-dża-dżu-dżą
• udzy-odzy	• udży-odży
• radzę	• radżę
• dzyń	• dżin
• brudzę	• brydże

DOSTAŁAM PODWYŻKĘ!

JESTEM W SZOKU!

W SOKU?!

FONETYKA

2

A *Proszę posłuchać i powtórzyć.*
B *Co mówi lektor?* [FC102]

117
118

S / Z / C / DZ	SZ / Ż / CZ / DŻ
a • gaza	• gaża
b • soku	• szoku
c • radzę	• radżę
d • sale	• szale
e • tacka	• taczka
f • łzą	• łżą
g • dzyń	• dżin
h • wylecą	• wyleczą
i • zebrała	• żebrała
j • wypis	• wypisz

C

3 *Co pasuje? Proszę posłuchać i powtórzyć za lektorem.* [FC103]

119

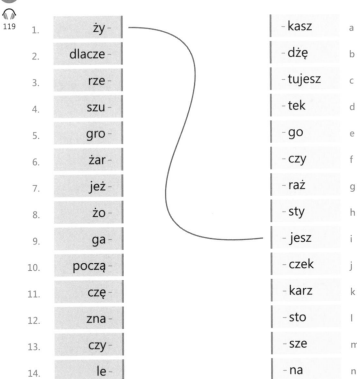

1. ży-   -kasz a
2. dlacze-   -dżę b
3. rze-   -tujesz c
4. szu-   -tek d
5. gro-   -go e
6. żar-   -czy f
7. jeż-   -raż g
8. żo-   -sty h
9. ga-   -jesz i
10. począ-   -czek j
11. czę-   -karz k
12. zna-   -sto l
13. czy-   -sze m
14. le-   -na n

4 **Proszę posłuchać wiersza M. Strzałkowskiej i uzupełnić.** [FC104] → 120

🎧 120

| cz | sz | ż | rz

„_Czy___yk_"

___esał ___y___yk ___arny ko___ek,
___y___ ___ąc w ko___ku ka___dy lo___ek,
po ___ym p___ykrył ko___ek to___kiem,
le___ ___ęść lo___ków wy___ła bo___kiem.

5 **Proszę posłuchać, ponumerować słowa i napisać 5 wierszy – „lepiejów".** [FC105]

🎧 121

1. w sosie | ten | lepsze | szarlatana | szarym | czary | niż | sznycel
   ○ ○ ① ○ ○ ○ ○ ○

   Lepsze

2. w łóżku | lepsze | z kaczuszki | niż | cztery | pierze | w kołdrze | jeże
   ○ ① ○ ○ ○ ○ ○ ○

   Lepsze

3. marsz | niż | w koszyku | zbyt | szosą | brzydki | lepszy | grzybek | szybki
   ○ ○ ○ ○ ○ ○ ① ○ ○

   Lepszy

4. na talerzu | lepszy | w spichlerzu | groszek | wciąż | bażanty | niż
   ○ ① ○ ○ ○ ○ ○

   Lepszy

5. z rana | jest | gryczana | kasza | żeberek | niż | lepsza | miska
   ○ ○ ○ ○ ○ ○ ① ○

   Lepsza

FONETYKA

S / Ś / SZ, Z / Ź / Ż, C / Ć / CZ, DZ / DŹ / DŻ

1 *Proszę posłuchać i zdecydować, co mówi lektor.* [FC111]

122

1	S / Z / C / DZ	2	Ś / Ź / Ć / DŹ	3	SZ / Ż / CZ / DŻ
1,					

2 *Proszę posłuchać i zdecydować, co mówi lektor.* [FC112]

123

1	S / Ś / SZ	2	C / Ć / CZ	3	Z / Ź / Ż	4	DZ / DŹ / DŻ
		1					

3 *Proszę posłuchać i powtórzyć.* [FC113]

124

S	SZ
• sie-siu-sio	• sze-szu-szo
• iś-yś-aś	• isz-ysz-asz
• mysi	• myszy
• Basia	• basza
• weź	• wesz
• siła	• szyła
• kosie	• kosze

125

Ź	Ż
• ziu-zie-zio-zi	• żu-że-żo-ży
• izia-uzia	• iża-uża
• Rózia	• róża
• polezie	• poleżę
• leźmy	• leżmy
• wiezie	• wierzę
• buzią	• burzą

126

Ć	CZ
• ci-cie-cio-ciu	• czy-cze-czo-czu
• yć-oć-ać	• ycz-ocz-acz
• wyleć	• wylecz
• klucie	• klucze
• ciarki	• czarki
• krocie	• kroczę
• ciapki	• czapki
• lećmy	• leczmy
• rycie	• ryczę

127

DŹ	DŻ
• dzio-dzi-dzia-dzię	• dżo-dży-dża-dżę
• idziu-odziu	• idżu-odżu
• dziur	• dżul
• jeździe	• jeżdżę
• gwiździe	• gwiżdże
• dziunie	• dżumie
• dzidziu	• dżdżu
• Tadzik	• Tadżyk
• dziecię	• dżecie

A **Proszę posłuchać i powtórzyć.**
B **Co mówi lektor?** [FC114]

128
129

Ś/Ź/Ć/DŹ	SZ/Ż/CZ/DŻ
a • Kasia	• kasza
b • wozie	• wożę
c • Baśka	• Baszka
d • pacie	• paczę
e • gazie	• gaże
f • mazie	• mażę
g • dziur	• dżul
h • zaciąć	• zaczą
i • cieki	• czeki
j • opasie	• opaszę

JUTRO
ZACINAM
URLOP!

Co mówi lektor? [FC115]

130

S/Z/C	Ś/Ź/Ć	SZ/Ż/CZ
a • kasa	• Kasia	• kasza
b • gazę	• gazie	• gaże
c • sura	• siura	• szura
d • kic	• kić	• kicz
e • rys	• ryś	• ryż
f • dozę	• dozie	• dożę
g • ceku	• cieku	• czeku
h • bies	• bieś	• bierz
i • cisy	• cisi	• ciszy
j • kosy	• kosi	• koszy
k • syk	• sik	• szyk
l • sadź	• siać	• szadź
m • lec	• leć	• lecz

FONETYKA

6 *Proszę posłuchać i uzupełnić litery.* [FC116]

131

| s | z | c | dz | sz | rz | ż | cz | dż | ś | ź | ć | dź | si | zi | ci | dzi

a   cze ś ć
b   __ e __ __
c   __ ewię __
d   __ e __ ę
e   p __ epra __ am
f   p __ e __ yta __
g   __ wi __ enie

h   w __ y __ tko
i   nazywa __ e __ __ ę
j   t __ yna __ __ e
k   czterna __ __ e
l   dwa __ e __ __ a
m   u __ y __ __ ę
n   k __ ą __ ka

o   __ e __ yt
p   nau __ y __ elka
r   __ e __ ę __ ę
s   koń __ y __
t   t __ y __ e __ __
u   __ ter __ e __
w   pra __ owa __

7 *Proszę posłuchać wiersza „Osa" M. Strzałkowskiej i uporządkować podane słowa.* [FC117]   → 121

132

Koło

| basa

| osa

| nosa

| bosa

| hasa

| hasa | koło | na nos

| łasa | osa | nosa

| basa

8 *Proszę posłuchać i powtórzyć.* [FC118]   → 121

133

Była sobie żabka mała
Żabka małą zebrę znała
Zebra żebra połamała
Żabka zebrę pocieszała
Żabka z zebrą żyły dobrze
Życząc zdrowia starej kobrze.

C

1 **Proszę posłuchać i uzupełnić litery.** [FC121]

🎧 134

| k | p | s | t | ch |

a na pię *t* rze
b pie___rz
c ___rzepyszny
d wie___rzowy
e ____rzątać
f ___rzeprowadzić się

g ____rzyżowanie
h ___rzystanek
i burmi____rz
j ____rzynka
k poju___rze

l ___rzeba
m ____rzypce
n ___rzeszły
o ___rzypadek
p ___rząszcz

2 **Proszę posłuchać i uzupełnić litery.** [FC122]

🎧 135

| b | d | g | z | w |

a *b* rzydki
b ___rzoskwinia
c ___rzyb
d do___rze
e ___rzmieć
f ___rzewo

g ____rzewka
h ___rzesień
i an___rzejki
j ___rzuch
k ___rzeczny

l Bie___rza
m za___rzać się
n ___rzwi
o ___rzekać się
p ___rzegorz

3 **Proszę posłuchać i uzupełnić.** [FC123]

🎧 136

| trz | drz | prz | brz | krz | grz | wrz | zrz | chrz |

1. *t rz* ecia
2. pa_____cie
3. _____eszny
4. _____ask
5. _____ędzić

6. o_____ymać
7. _____oza
8. _____esło
9. mą_____e
10. _____odek

11. Wę_____y
12. _____est
13. wie_____e
14. po_____e
15. _____ewy

FONETYKA
polski w praktyce

4 Proszę połączyć podobne słowa w pary i wpisać w odpowiednie kolumny, a następnie posłuchać i sprawdzić. [FC124]

1.	trzeć		drzewa	a
2.	trzeba		trzask	b
3.	drzazg		drzeć	c
4.	zagrzewać		drzemał	d
5.	pogrzebie		krzywa	e
6.	trzymał		pokrzepię	f
7.	grzywa		zakrzewiać	g
8.	skrzypieć		poprze	h
9.	zgrzeszę		Biebrzy	i
10.	bobrze		zgrzybieć	j
11.	pieprzy		skrzeszę	k

137

MÓWIMY DŹWIĘCZNIE	MÓWIMY BEZDŹWIĘCZNIE
drzewa	*trzeba*

C

5

Proszę posłuchać wiersza M. Strzałkowskiej i wpisać brakujące litery. [FC125]

→ 120

138

| p | b | t | d | ch | w

„___rząszcz"

_T_rzynastego, w Szcze___rzeszynie

___rząszcz się zaczął tarzać w ___rzcinie.

Wszczęli ___rzask szcze___rzeszynianie:

– Cóż ma znaczyć to tarzanie?!

Wezwać ___rzeba by lekarza!

Zamiast ___rzmieć ten ___rząszcz się tarza!

Wszak Szcze___rzeszyn z tego słynie,

że w nim zawsze ___rząszcz ___RZMI w ___rzcinie!

A ___rząszcz o___rzekł niezmieszany:

– ___rzyszedł wreszcie czas na zmiany.

___rzewiej ___rząszcze w ___rzcinach ___rzmiały,

teraz będą się tarzały.

6

Proszę posłuchać wiersza „Cietrzew" M. Strzałkowskiej i uporządkować każdy wers. [FC126]

→ 120

139

1. Trzódka | na wietrze | drży | piegży
   (1) ( ) ( ) ( )

2. w zbożu | chrzęszczą | chrząszczy | skrzydła
   ( ) ( ) ( ) ( )

3. w swetrze | w deszczu | cietrzew | wrzeszczy
   ( ) ( ) ( ) ( )

4. w kółko | drepcząc | gąszczy | pośród
   ( ) ( ) ( ) ( )

FONETYKA

SZCZ / ŚĆ

1 **Proszę powtórzyć.** [FC131]

🎧 140

jeszcze – szczupły – mężczyzna – barszcz – szczypiorek –
szczęśliwy – deszcz – płaszcz – szczotka – zniszczony

2 **Proszę powtórzyć.** [FC132]

🎧 141

w mieście – ściana – wyjść – wiadomość – kości – teściowa –
pójść – kilkanaście – oczywiście – czterdzieści

3 **Proszę posłuchać i uzupełnić.** [FC133]

🎧 142

| szcz | ść | ści |

1. je _SZCZ_ e
2. _____otka
3. cze_____
4. wej_____e

5. z przyjemno_____ą
6. jedena_____e
7. tłu_____
8. _____egóły

9. nie_____
10. go_____e
11. pomie_____enie
12. _____emniać się

4 **Proszę posłuchać i napisać numer słowa w odpowiedniej kolumnie.** [FC134]

🎧 143

1 SZCZ/ŻCZ	2 ŚĆ/ŚCI	3 SZCI	4 ŻDŻ	5 ŹDZI
1				

5 **Proszę posłuchać i napisać słowa w odpowiedniej kolumnie.** [FC135]

🎧 144

1 SZCZ/ŻCZ	2 ŚĆ/ŚCI	3 SZCI	4 ŻDŻ	5 ŹDZI
szczotka,				

6 **Proszę powtórzyć.** [FC136]

🎧 145

- cza-cze-czu – szcza-szcze-szczu
- si-sie-sia – ści-ście-ścia
- czeka – szczeka
- szuka – Szczuka
- ciemni – ściemni
- siana – ściana
- ciąganie – ściąganie

- oci-ecia – ości-eścia
- osiu-asie – ościu-aście
- koci – kości
- Gosia – gościa
- pasie – paście
- wywiezie – wywieźcie

- uczy-acze – uszczy-aszcze
- osze-asza – oszcze-aszcza
- różki – różdżki
- stacza – staszcza
- zaczepił – zaszczepił
- prycze – pryszcze

- acz-ucz – aszcz-uszcz
- eć-oć – eść-ość
- płacz – płaszcz
- tłucz – tłuszcz
- leć – leźć
- pięć – pięść
- pójdź – pójść
- koć – kość

---

7 A **Proszę posłuchać i powtórzyć.**
B **Co mówi lektor?** [FC137]

🎧 146 147

a psina – Pszczyna
b jeszcze – jedźcie
c szczeka – ścieka
d puśćcie – puszcze
e tłuczże – tłuczcie
f ściółka – pszczółka

g ściera – szczera
h głaszcze – gładźcie
i jeździe – jeżdżę
j weźcie – weżże
k tłuszcz – tłuść

l huczcie – chuście
m gwiżdże – gwiździe
n pościelił – postrzelił
o szczepiony – strzępiony

---

8 **Proszę posłuchać wiersza „Szczeniak" M. Strzałkowskiej i uporządkować go.** [FC138]

→ 121

🎧 148

⬡ a trzy pliszki i liszka
⬡ szepcze szczygieł w szczelinie,
⬡ *1* W gąszczu szczawiu we Wrzeszczu
⬡ taszczą płaszcze w Szypliszkach.
⬡ świszcze świerszcz pod leszczyną,
⬡ klaszczą kleszcze na deszczu,
⬡ piszczy pszczoła pod Pszczyną,
⬡ szczeka szczeniak w Szczuczynie,

FONETYKA

PROSZĘ, JEDZCIE!

JEDŹCIE? JUŻ? DLACZEGO?!

9 **Proszę przeczytać słowa, a następnie posłuchać wiersza „Łoś" M. Strzałkowskiej i uzupełnić.** [FC139]

→ 121

149

łoś – noś – nieś – weź – gryź – kładź – nać – sieć – chwyć –
gość – kiść – liść – kość – gwóźdź – maść – puść – czyść – dość

gwóźdź ✓ | sieć | maść | noś | liść | kość | nać | kiść

Do gościa rzekł raz pewien łoś:
1. Puść *gwóźdź* !
2. Weź .... !
3. Chwyć .... !
4. Coś .... !
5. Nieś .... !
6. Gryź .... !
7. Czyść .... !
8. Kładź .... !
Lecz gość miał dość i poszedł spać.

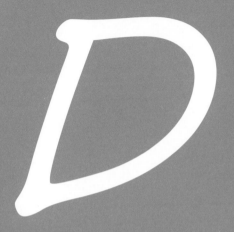

WARSZTATY TEMATYCZNE

01 RZECZY W KLASIE ·········· 81

02 PREZENTACJA OSOBY ·········· 82

03 HOBBY ·········· 84

04 JEDZENIE ·········· 86

05 RODZINA ·········· 90

06 SPOTKANIE, RUTYNA ·········· 94

07 ZWIEDZANIE, MIASTO ·········· 96

08 ZAKUPY ·········· 99

09 POGODA ·········· 101

10 MIESZKANIE ·········· 103

11 PODRÓŻE ·········· 107

12 ŻYCIORYS ·········· 111

13 UBRANIA ·········· 113

14 CIAŁO, ZDROWIE ·········· 116

KLUCZ ODPOWIEDZI ·········· 122

RZECZY W KLASIE

1 *Proszę posłuchać. Co pasuje?* [FD011]

🎧 150

b | d | l | ł | p | r | t | w

1. _d_uży segrega__or
2. po__ska szko__a
3. __iały ku__ek

4. b__ązowy ołó__ek
5. sta__y k__ucz
6. fio__etowy stó__

7. mo__na tor__a
8. dob__a __łyta
9. z__y s__ownik

2 *Proszę posłuchać. Co pasuje?* [FD012]

🎧 151

s | si | sz | ci | cz | z | zi | ż

1. k_si_ążka
2. krze__ło
3. __eszyt
4. długopi__

6. nauczy__el
7. pa__port
8. __ary
9. __arny

11. pomarań__owy
12. __elony
13. __ółty
14. ró__owy

3 *Proszę posłuchać. Co pasuje?* [FD013]

🎧 152

e | y | i

JAVIER: Cz_e_ść Mami, co sł_y_chać?

MAMI: Dziękuję, dobrz__. Bardzo dobrz__! Przepraszam, nie pamiętam, jak masz na__mię...

JAVIER: Javier. J-a-v-i-e-r. Po h__szpańsku „jot"czytamy „ha".

MAMI: Aha, rozumiem. A co to jest?

JAVIER: To jest słown__k polsko-h__szpański. Star__ i duż__, ale bardzo dobr__.

MAMI: Ja też mam! Mam słown__k polsko-japońsk__. Now__, ale nie bardzo dobr__...

JAVIER: Dlacz__go jest zł__?

MAMI: Bo jest mał__. Za mał__!!!

 1 *Proszę posłuchać. Co słyszysz? Proszę napisać.* [FD021]

153

JAKI?	KTO?	JAKI?	KTO?
s		**z**	
	dentystka	*zdrowy*	
c		**sz / rz**	
ż / rz		**cz**	

FONETYKA

2 *Proszę ułożyć zdania ze słowami z tabeli z ćwiczenia 1.*
Proszę przeczytać zdania na głos. [FD022]

D

1. **s** → Stanisław Skrupski *jest starym, sfrustrowanym ministrem* .

2. **z** → Zenon Zabłocki ....

3. **c** → Celina Cyganik ....

4. **sz/rz** → Szymon Szuba to ....

5. **ż/rz** → Żaneta Rzepecka ....

6. **cz** → Czesław Czempka ....

3 *Proszę powtórzyć.* [FD023]

154

- szczupła nauczycielka
- zestresowany biznesmen
- zmęczona urzędniczka
- przystojny taksówkarz

- spontaniczny tancerz
- czyste dziecko
- sympatyczny pisarz
- mężczyzna średniego wzrostu

4 *Proszę posłuchać. Co pasuje?* [FD024]

155

Jest prze_r_wa (l/ł/r). Javier, Angela i Mami rozmawiają
na koryta___u (sz/rz/zi).

ANGELA: Wie___e (ci/cz/si), kto to jest?

JAVIER: Ja wiem. To jest l___ktorka (e/i/y) języka hiszpańskiego.

ANGELA: My___lę (s/sz/ś), że ona jest bardzo mi___a (l/ł/w).

MAMI: A ja nie wiem, czy ona jest mi___a (l/ł/w), czy nie, ale na
pe___no (b/ł/w) jest atrakc___jna (i/y/z)

ANGELA: Javier, jak ona ma na imię?

JAVIER: Nie pami___tam (e/eń/ę) dobrze, ale chyba María.

ANGELA: To jest twoja kole___anka (z/zi/ż)?

JAVIER: Nie, to nie jest moja kole___anka (z/zi/ż), ale ona jest z Hiszpanii.
Jestem pewny, że ona jest energiczna, spontaniczna i bardzo
s___mpatyczna (e/i/y).

1

A *Proszę posłuchać i powtórzyć.*
B *Co mówi lektor?* [FD031]

156
157

1. tańczyć | <u>tańczysz</u> | tańczycie
2. słuchać | słuchasz | słuchacie
3. podróżować | podróżujesz | podróżujecie
4. pływać | pływasz | pływacie
5. chodzić | chodzisz | chodzicie
6. oglądać | oglądasz | oglądacie
7. jeździć | jeździsz | jeździcie
8. cieszyć się | cieszysz się | cieszycie się

2   *Proszę uzupełnić, posłuchać i powtórzyć za lektorem.* [FD032]

158

> z kolegą | z nauczycielką ‖ węglem | farbą ‖ włoskiego ✓ | szwedzkiego ✓ ‖
> na siłownię | na pocztę ‖ z Marsa | z Wenus ‖ chętnie | pięknie ‖ do Kęt |
> do Elbląga ‖ mięso | rybę ‖ książkę | pamiętnik ‖ zdjęcia | listę zakupów

Ja i moje siostry jesteśmy zupełnie inni. Wszystko robimy inaczej.

1. Ja uczę się __*włoskiego*__ , a one uczą się __*szwedzkiego*__ .
2. Ja jeżdżę _____ , a one jeżdżą _____ .
3. Ja chodzę _____ , a one chodzą _____ .
4. Ja gotuję _____ , a one gotują _____ .
5. Ja maluję _____ , a one malują _____ .
6. Ja dyskutuję _____ , a one dyskutują _____ .
7. Ja piszę _____ , a one piszą _____ .
8. Ja robię _____ , a one robią _____ .
9. Ja tańczę _____ , a one tańczą _____ .
10. Ja jestem _____ , a one są _____ !

FONETYKA

3 **Proszę posłuchać i uzupełnić.** [FD033]

🎧 159

MARISA: Lubi_sz_ uprawia_ć_ sport?

JONATAN: Tak, biegam, p___ywam i jeż___ę na rowe___e.

MARISA: Ja nie lubię biega___, ale lubię je___dzić konno.

JONATAN: Je___dzi___ konno, nap___awdę?

MARISA: Tak, to moje hobby.

4 **Proszę posłuchać i podkreślić akcentowane sylaby.**
Następnie proszę powtórzyć z identyczną intonacją. [FD034]

🎧 160

TOM: <u>Co</u> robicie?

MAMI: My? Rozmawiamy i oglądamy zdjęcia.

TOM: O, fajna fotografia. Kto to jest?

ANGELA: To moja mama i ja w Wenecji.

TOM: To ty siedzisz tutaj?

ANGELA: Tak, to ja.

MAMI: Lubisz zwiedzać nowe miejsca?

ANGELA: Bardzo. Lubię zwiedzać i podróżować.

5 **Proszę posłuchać i skorygować tekst.** [FD035]

🎧 161

UWE: Tom, ~~czy~~ jesteś zajęty?

Tom, jesteś zajęty?
....

TOM: Trochę. A dlaczego pytasz?

....

UWE: Czy masz czas żeby grać w piłkę?

....

TOM: W piłkę nożną?

....

UWE: Nie, w kosza.

....

TOM: Świetny pomysł, bardzo lubię koszykówkę.

....

JEDZENIE

1

A *Proszę posłuchać i powtórzyć.*
B *Proszę podkreślić słowa, które pasują do tematu: jedzenie.* [FD041]

162

1. jedzenie | jeżdżenie
2. smoczego | smacznego
3. szynka | synka
4. żółty | złoty
5. sera | zera
6. przepyszny | przepiszmy
7. jedź | jeść
8. piją | pieją
9. kasza | kasa

10. solówka | surówka
11. z pierzem | z pieprzem
12. dżemy | drzemy
13. bulka | bułka
14. Gośki | gorzki
15. lep | chleb
16. ryż | liż
17. warzywa | ważyła

2 *Proszę posłuchać. Co pasuje?* [FD042]

163

UWE: Angela, co dla siebie | ciebie?

ANGELA: Zapiekanka standard z podwójnym zerem | serem,
szynką | ścinkom i z osiem | sosem czosnkowym.

UWE: A dla wasz | was?

MAMI: Ja tez | też standard z podwójnym zerem | serem,
ale bez szynki | ścinki i jeszcze | jeżdżę
ze szczypiorkiem | zez czy piórkiem.

JAVIER: Jadźka wałkami | Ja z kawałkami kurczaka,
kukurydzą | kuku ryzą i majonezem.

UWE: To dobrze drzwi | brzmi, dla mnie taka sama.

FONETYKA
polski w praktyce

3 A *Co pasuje?*
B *Proszę posłuchać, sprawdzić i powtórzyć.* [FD043]

164

1.	zielone		ruskie	a
2.	ostre		bułka	b
3.	mrożone		oliwki	c
4.	pierogi		z masłem	d
5.	płatki		z wędliną	e
6.	słodka		papryczki	f
7.	pół kilo		z kalafiorem	g
8.	sałatka		truskawki	h
9.	ryba		kukurydziane	i
10.	chleb		z orzechami	j
11.	czekolada		z ryżem	k
12.	rogalik		śliwek	l

4 *Proszę posłuchać i uzupełnić.* [FD044]

165

| r | l | ł |

KLIENTKA: Dzień dobry, czy jest wo _/_ ny sto _/_ ik?

KELNER: Tak, proszę bardzo. Co d __ a państwa?

KLIENTKA: Proszę ba __ szcz z k __ okietem, a na d __ ugie danie stek
wo __ owy z f __ ytkami.

KLIENT: D __ a mnie __ osó __ z maka __ onem i kot __ et mie __ ony
z k __ uskami ś __ ąskimi. Jakie mają państwo su __ ówki?

KELNER: W zestawie mamy su __ ówkę z se __ e __ a z rodzynkami,
ma __ chewkę z jab __ kiem oraz mize __ ię.

KLIENT: Dobrze, proszę duży zestaw.

KELNER: A co do picia?

KLIENTKA: Proszę he __ batę m __ ożoną.

KLIENT: A d __ a mnie __ emoniada cyt __ ynowa.

D

KELNER: Czy podać coś na dese__?

KLIENT: Tak, proszę __u__kę z k__emem.

KELNER: Niestety nie ma, ale po__ecam państwu __ody: w__oskie lub t__adycyjne na gałki.

KLIENT: To d__a mnie duża po__cja w__oskich z po__ewą czeko__adową.

KLIENTKA: A ja pop__oszę sza__ __otkę.

KLIENTKA: Proszę __achunek.

KELNER: Proszę bardzo. Sto czte__dzieści dziewięć z__otych.

KLIENTKA: Czy mogę zap__acić ka__tą?

KELNER: Oczywiście.

A **Proszę posłuchać i powtórzyć.**
B **Proszę pogrupować produkty i potrawy.** [FD045]

166

> jajecznica ✓ | rzodkiewka | drożdżówka | zapiekanka ze szczypiorkiem | kotlet schabowy | cielęcina | barszcz z uszkami | żeberka wieprzowe | czosnek | chuda szynka | ciastka | jabłka | brzoskwinia | pietruszka | pstrąg pieczony | coś słodkiego | żóły ser | grzanka z dżemem | kasza gryczana | suszone owoce | warzywa na parze | wiśnie | czekolada z orzechami

NA ŚNIADANIE	NA SAŁATKĘ	NA OBIAD	NA DESER
jajecznica			

FONETYKA

6 *Proszę posłuchać i uzupełnić tekst.* [FD046]

167

W ko<u>sz</u>yku z __akupami są owoce i wa__ywa. Są tam doj__ałe __erwone pomidory, __elone ogórki i t__y małe cebule. To są produkty na sałatkę, którą Mami planuje robi__ na kolację.

W ko__yku są te__ dwa __rednie kalafiory, brokuły i młode __iemniaki. Mami bar__o lubi owoce. Zwykle kupuje banany, pomarań__e, jabłka, ale dzi__ ma tylko ananasa i małego arbu__a. Ko__yk z __akupami jest już bar__o __ężki, a Mami ch__e je__e kupi__ gru__ki i wędzoną rybę. Co robi__? O, tu obok stoi Javier, on też robi __akupy. Dob__e, że Javier jest sympaty__nym kolegą i chętnie pomaga Mami. Javier mówi, że ko__yk nie jest bar__o __ężki i że Mami może je__e kupić i gru__ki, i rybę, i tru__kawki, bo są bar__o sma__ne. Mami jest bardzo __adowolona, __ękuje za pomoc i __aprasza Javiera na kolację.

7 *Proszę posłuchać i powtórzyć z taką samą intonacją.* [FD047]

168

1. Coś słodkiego.
   Zjeść coś słodkiego.
   Chciałabym zjeść coś słodkiego.
   Dzisiaj chciałabym zjeść coś słodkiego.
   Dzisiaj chciałabym zjeść coś słodkiego na śniadanie.

2. Naleśniki.
   Naleśniki ze szpinakiem.
   Naleśniki ze szpinakiem i śmietaną.
   Naleśniki ze szpinakiem i śmietaną są wyśmienite.
   „U Jędrusia" naleśniki ze szpinakiem i śmietaną są wyśmienite.

3. Pasztet.
   Przepis na pasztet.
   Mam przepis na przepyszny pasztet.
   Mam przepis na przepyszny pasztet pieczony.
   Mam przepis na przepyszny pasztet pieczony z soczewicy.

4. Gulasz.
   Gulasz wieprzowy.
   Gulasz wieprzowy z kaszą.
   Gulasz wieprzowy z kaszą gryczaną.
   Nie znoszę gulaszu wieprzowego z kaszą gryczaną.

RODZINA

1 ***Proszę posłuchać i uzupełnić.*** [FD051]

🎧 169

| ś | si | ź | zi | ć | ci | dzi | ż | rz | sz | cz | dz

ro*dzi*na | mą__ | bab__a | mał__eństwo | oj__ec | ro__eństwo |
p__yja__ółka | __onaty | mę__ __yzna | __adkowie | __ostra |
__o__a | __e__ | ro__ce | __ew__yna | mę__atka | rozwie__ona |
wnu__ka | te__ __owa | bli__niaki | __ost__eniec | na__e__ona |
__wagier | __ę__

2 ***Co słyszysz? Proszę wpisać słowa w odpowiednie miejsca do tabeli.***
Uwaga, są słowa, które pasują do dwóch okienek tabeli. [FD052]

🎧 170

ś / si	ź / zi	ć / ci	dź / dzi
			rodzina

sz (rz / ż)	ż / rz	cz	dz

FONETYKA

3 *Proszę ułożyć jak najdłuższe zdania z wyrazami z tabeli, a następnie proszę przeczytać je na głos.* [FD053]

1. **ś/si →** *Siostra śpi, siostrzeniec je śniadanie, a teściowa śpiewa* .

2. **ż/zi →** ....
....

3. **ć/ci →** ....
....

4. **dź/dzi →** ....
....

5. **sz(rz/ż) →** ....
....

6. **ż/rz →** ....
....

7. **cz →** ....
....

8. **dz →** ....
....

4 *Proszę posłuchać. Co pasuje?* [FD054]

🎧
171 MA _ł_ ŻEŃSTWO (L/Ł) EWY

Ewa jest mę__atką (ż/zi). Jej mą__ (z/ż) Adam jest ar__itektem (ch/k).
Niestet__ (e/y), Adam nigdy nie ma czasu, ponie__aż (w/ł) bardzo
kon__entruje (s/c) się na pra__y (s/c) zawodowej. Ewa musi __ama (s/si)
zajmo__ać (w/ł) się domem i dzie__mi (ć/ś) i dlatego nie jest za bardzo
__ęśliwa (szcz/ści). Adam m__śli (i/y), że to idealna sytua__ja (c/s),
kiedy żona nie musi pra__ować (s/c) i może ca__y (l/ł) czas być w
domu. Ale Ewa m__śli (i/y) ina__ej (cz/ci). Ona też chce pra__ować (s/c)
zawodowo! Mówi, że nie musi robić ka__iery (l/r), ale woli partnerski
model rodz__ny (i/y). Co to zna__ (czy/ci) model partnerski? To
zna__ (czy/ci), że mąż i żona pra__uj__ (s/c) (om/ą) tyle samo, i tyle
samo zajmuj__ (om/ą) się dzie__mi (ć/ś).

5 **Proszę posłuchać, uporządkować i powtórzyć.** [FD055]

🎧 172

- ( ) mam czterdzieści dziewięć lat,
- (1) Dzień dobry,
- ( ) Moja rodzina jest dziwna.
- ( ) Mieszkam w Działdowie,
- ( ) jestem Jadzia,
- ( ) Zgadniesz, kto jest kim?
- ( ) i oglądać łodzie.
- ( ) lubię chodzić po lodzie
- ( ) na północnym wschodzie.

6 **Co pasuje? Proszę posłuchać, sprawdzić i powtórzyć.** [FD056]

🎧 173

zięć Ziemowit | babcia Beacia | dziadek Dzidek ✓ | córka Cecylka | siostra Stasia | brat Bartek | ciocia Olcia | syn Sebastian | wujek Wojtek | mój teść | mój mąż

1. _Dziadek Dzidek_ codziennie jeździ na dziesięć godzin na działkę.
2. .... śpiewa w środy kościelne pieśni i ody.
3. .... zbiera barany z białej porcelany.
4. .... pracuje w cukierni i coraz to cmoka cukierki.
5. .... to gość, co jeść nigdy nie ma dość.
6. .... wierzy w wino i wielką wojnę.
7. .... ciągle plecie o locie w samolocie.
8. .... wąs kręci wciąż, a w kieszeni wąż.
9. .... sam sobie samoloty składa w soboty.
10. .... ziemniaki i zioła zwozi nim zima je pomrozi.
11. .... bocianom żabcie daje w kapciach.

7 **Proszę posłuchać i uzupełnić litery.** [FD057]

🎧 174

1. Komediodramat ma tytuł: „Rodzina _Ś_ redni _c_ kich".
2. Popularna aktorka nazywa się Hanna Ś__e__yńska.
3. Dorota ma salon ko__mety__ny, a jej mąż ma na imię An__rze__.
4. Ich córka Magda jest __am__żna, jej mąż ma na imię __ade__.
5. Łukasz pracuje w ko__pora__ji.
6. Sąsiad Emil jest trochę eks__entr__czny.
7. Longin pracuje jako biznesmen – me__an__k.

FONETYKA

8

Proszę posłuchać i skorygować tekst (dopisać lub wykreślić słowa). [FD058]

175

Łukasz ma 27 lat, jest elektronikiem i mieszka we Wrocławiu. Łukasz nie jest żonaty, ma dziewczynę, ale nie jest ~~jeszcze~~ pewien, czy to jest na sto procent ta... Jego mama mówi, że on woli zawsze być kawalerem. Brat Łukasza, Andrzej, ma sympatyczną żonę Joannę i dzieci. Jego syn Mateusz ma 7 lat, a córka 4 lata. Łukasz bardzo lubi spędzać czas z rodziną Andrzeja. W weekendy gra w tenisa z bratową Joanną, bo Andrzej nie umie grać. Czasami chodzi do kina z bratankiem na filmy tylko dla dzieci. Zuzia nie chodzi z nimi, bo jest na to jeszcze za mała, ale lubi kiedy wujek Łukasz ogląda książki. Łukasz mówi, że jego bratanica jest bardzo inteligentna. Zuzia i Mateusz nie mają cioci, bo tata nie ma siostry, a mama jest jedynaczką. W niedziele Andrzej często zaprasza na obiad całą swoją rodzinę. Zawsze są jego rodzice i teściowa – ojciec i matka Joanny i oczywiście brat Łukasz. Od czasu do czasu jest dziadek Ignacy z babcią Zosią. Babcia zawsze wtedy pyta Łukasza, kiedy pozna jego narzeczoną, a on, że jeszcze nie ma prawdziwej narzeczonej. Rodzice Łukasza też czekają na synową, a brat na bratową, ale Łukasz mówi, że jest dużo za młody i jeszcze ma czas.

1. *inżynierem*
2. ....
3. ....
4. ✓
5. ....
6. ....
7. ....
8. ....
9. ....
10. ....
11. ....
12. ....
13. ....
14. ....
15. ....
16. ....
17. ....
18. ....
19. ....
20. ....
21. ....
22. ....
23. ....
24. ....
25. ....
26. ....

D

SPOTKANIE, RUTYNA

A *Proszę przeczytać. Co pasuje?*
B *Proszę posłuchać i powtórzyć.* [FD061]

🎧 176

1. W poniedziałek
2. We wtorek
3. W środę
4. W czwartek
5. W piątek
6. W sobotę
7. W niedzielę

a wracam wcześniej – o czwartej jem czereśnie.
b o ósmej nic nie robię, na spacer idę sobie.
c o siódmej osiem śniadanie mam w termosie.
d nic się nie dzieje.
e warzyw worek wiozę na targ do Tworek.
f po pracy pędzę po pieniądze.
g o piątej nie mam zajęcia, więc robię zdjęcia.

A *Proszę posłuchać i uzupełnić.*
B *Proszę powtórzyć zdania.* [FD062]

🎧 177

1. | ci | cz

Wy*ci*e*cz*ka po__ągiem
do Wieli__ki za__yna się
w __wartek wie__orem.

2. | c | ci | s | ś | ść

Ch__e__e pój__ na __pa__er
czy wyj__ do mia__ta
wcze__niej?

3. | cz | sz | prz

__emu __ychodzi__
zaw__e __ed pierw__ą?

4. | c | dz

__u__oziemie__ długo __wonił
do niemie__kiej agen__ji.

5. | ci | si | cz | sz

__e__ę__ę, że
____otką__ę__e__e__.

6. | prz | trz

__edstawienie „__ech
__odków" jest __ynastego
o __ynastej __ydzieści.

7. | l | r

Po spektak__u ko__acja
w k__ubie __et__o ty__ko
d__a kawa__e__ów.

8. | ł | w

Niez__y pomys__: p__y__anie po
d__ugim __yk__adzie __ies__a__a.

94·

(3) Proszę posłuchać dialogu i uzupełnić litery. [FD063]

178

JACEK: Cześ_ć_ Aga, co u __ebie?

AGA: Ja__ek? Fajnie, że __wonisz. Co s__ychać?

JACEK: Ho, ho, ho! Dużo nowego! __cesz i__ć na kawę? Porozmawiamy.

AGA: Dziękuję ci za zapro__enie. Bardzo ch__tnie.

JACEK: To __wietnie! Gdzie i kiedy się spot__kamy?

AGA: Dzi__ po po__udniu na rynku. Mo__e być?

JACEK: Tak, tak. Trad__cyjnie pod „Ada__em"?

AGA: Oczywiś__e. Je__cze raz dziękuję ci za zapro__enie i do zoba__enia.

(4) Proszę posłuchać dialogu i podkreślić słowa, które słyszysz. [FD064]

179

JAREK: ... <u>co</u>/coś ... jesteś/<u>jesteście</u> ...

MARCIN: ... wszystko/zawsze ... ciebie/siebie

JAREK: ... oko ten/ochotę ... Wajdę/Wajdy

MARCIN: ... dlaczego/czemu nie ... wiesz, że/wiecie ...

JAREK: ... dzisiaj/dziś

MARCIN: Spotykamy/Spotkamy ... przy/przed ...

JAREK: ... zaraz/zarezerwować | bilety/bilet

MARCIN: Dobre/Dobrze ...

(5) Proszę posłuchać tekstu i wybrać słowa, które słyszysz. [FD065]

180

Magda (Magdzia/Magda) wstaje codziennie o _____ (7:30/7:40)
i robi śniadanie dla _____ (dzidzi/dzieci). Ona ma córkę _____
(Hanię/Anię) i syna _____ (Mateusza/Martusia). Później
Magda _____ (ubieracie/ubiera się) i idzie z dziećmi do szkoły. Przed
południem chodzi na zakupy. Zwykle robi zakupy na targu, ale od czasu
do czasu też w hipermarkecie. Kiedy _____ (warsa/wraca) do domu,
sprząta i gotuje obiad. W południe _____ (czysto/często) spotyka się
z koleżanką na kawie. O _____ (13:00/14:00) odbiera dzieci ze szkoły
i _____ (idą/jadą) do domu na obiad. Wieczorem wraca do domu mąż
Magdy, _____ (w piątek/Piotrek). On zawsze długo _____
(prasuje/pracuje). _____ (Jedzą/Jeżdżą) razem kolację, a _____
(następne/następnie) dzieci grają w _____ (czachy/szachy),
a małżeństwo rozmawia i czyta książki. Oni rzadko wychodzą z domu.

ZWIEDZANIE, MIASTO

 1

🎧 181

A **Proszę przeczytać słowa. Jaka to kategoria?**
B **Proszę posłuchać i powtórzyć za lektorem.** [FD071]

	POJAZDY	OBIEKTY W MIEŚCIE	LOKALIZACJA
1. ratusz		✓	
2. motocykl			
3. na wprost			
4. dzielnica			
5. na zewnątrz			
6. kościół			
7. dorożka			
8. pociąg			
9. skrzyżowanie			
10. w środku			
11. przystanek			
12. naprzeciwko			

2 **Proszę posłuchać dialogu i skreślić słowa, których tam nie ma.** [FD072]

🎧 182

A dojechać | na wprost | skręcić | pierwszym | strony | księgowa | naprzeciwko

B Bagatyła | niestety | dzieje | pójść | trzynaście | ochotę | około | Krupnickiej

FONETYKA
polski w praktyce

3 A *Proszę przeczytać słowa, a następnie uzupełnić zdania. Co pasuje?*
B *Proszę powtórzyć zdania za lektorem.* [FD073]

183

wieża | kościół ✓ | fryzjer | ratusz | szpital | dworzec |
przystanek | skrzyżowanie | kwiaciarnia | poczta

1. Na ulicy Kościuszki jest *kościół* .
2. Przy ulicy Przewóz jest ....
3. Na ulicy Świętego Krzyża jest duże ....
4. Na rogu ulicy Francuskiej i Fredry jest ....
5. Na ulicy Dwernickiego jest ....
6. Na ulicy Pocztowej jest ....
7. Na ulicy Kwiecistej jest ....
8. Na ulicy Rabsztyńskiej jest ....
9. Na wprost ulicy Wierzbowej jest ....
10. Na ulicy Szopkarzy jest ....

4 *Proszę powtórzyć za lektorem.* [FD074]

184

1. Proszę skręcić w ulicę Grodzką, a potem iść cały czas prosto.
2. Czy ten kościół ma coś charakterystycznego?
3. Proszę przejść przez skrzyżowanie.
4. Czekacie w środku czy na zewnątrz?
5. Czy wie pan, gdzie jest postój taksówek?
6. Przepraszam, jak dojść do dworca kolejowego?
7. Z którego przystanku odjeżdża tramwaj numer czternaście?
8. To nie w tę stronę, proszę zawrócić.
9. Czy ten autobus jedzie na Kazimierz?
10. Proszę zejść schodami do tunelu.

5 A *Proszę posłuchać i uzupełnić nazwy zabytków.*
B *Czy wiesz, jakie to miasto?* [FD075]

185
186

1. Pa _ł_ ac Kultury i Nauki, Ła__enki, Pomnik ___yreny, Sta__ówka
2. Bar__akan, __awel, Sukienni__e, Ko__ciół Mariacki, Smo__a Jama
3. Ostr__w Tumski, Ratu__, Domki bud__cze, Zamek Cesar__ki, Fa__a
4. D__ugi Targ, D__ór Artusa, Fonta__na Neptuna, __uraw, Złota __rama
5. Hala __tulecia, Stary __atusz, Igli__a, Most Tu__ski, Afr__karium

	Gdańsk		Kraków		Poznań
1	Warszawa		Wrocław		

·97

6 *Proszę posłuchać legendy. Co pasuje?* [FD076]

187

„Legenda o Smoku Wawelskim,
który ma w Krakowie swój pomn_i_k (i/y)"

Dawno, dawno temu mieszkał w Krakowie na Wawelu dobry kró___ (l/ł)
Krak. Miał ładne miasto, duży ___amek (dz/z) i piękną córkę
___andę (B/W), ale niestety pod Wawelem mieszkał też smok. Smok był
zawsze bardzo ___łodny (g/k). _____ (Jadł/Jadał) wszystko, ale
najbar___ej (ci/dzi) lubił młode dziew___yny (c/cz). I w końcu
w Krakowie była już tylko kró___ewna (l/ł) ___anda (B/W). Kró___ (l/ł)
powiedział, że kto za___ije (b/p) smoka, dostanie pół kró___estwa (l/ł)
i kró___ewnę (l/ł) za żonę. Wielu bogatych r___cerzy (e/y)
przyjecha___o (l/ł) pod Wawel, ale smok ich wszystkich za___ił (b/p).
Sytuacja była bardzo trudna. W _____ (miejsce/mieście)
pracował biedny, ale inteligentny ___ewc (si/sz). Miał na imię
D___atewka (l/r) i też chciał iść na smoka. Miał _____
(pomysł/pomyśl), żeby kupić małą ow___ę (c/cz), za___ić (b/p) ją,
a do ___rodka (sz/ś) dać ___arkę (si/sz). Tak zrobił i w nocy
prz___transportował (e/y) ow___ę (c/cz) do smoka. Smok miał apetyt,
więc szybko zjadł ow___ę (c/cz). ___arka (Si/Sz) paliła, smok miał
w ___rodku (sz/ś) rewolucję! Blisko Wawelu, tak samo jak dziś, była
___eka (zi/rz) Wisła. Smok pił, pił, pił wodę z ___eki (zi/rz), wypił
wszystko i w końcu eksplodował!!!

FONETYKA

ZAKUPY

1 *Proszę posłuchać i zakreślić wyrazy, które słyszysz.* [FD081]

188

1.	ka	ła	łek
	ga	wa	wek

4.	tab	ły	ćka
	tap	li	czka

7.	s	ło	jk
	ś	lo	ik

2.	bu	deł	ką
	pu	dył	ko

5.	kiłka	nasz	cze
	kilka	naś	cie

8.	ż	grze	wek
	z	gzie	wka

3.	plac	te	rek
	plas	ty	lek

6.	ś	wie	rść
	ć	we	rć

9.	bo	chy	nyk
	bą	che	nek

2 *Proszę powtórzyć.* [FD082]

189

- znak – znaczy – dwa znaczki – *Proszę pięć znaczków.*
- widok – widokówka – trzy widokówki – *Poproszę sześć widokówek.*
- pakować – paczka – paczkomat – *Chcę nadać paczkę.*
- poczta – pocztowy – pocztówka – *Pięć pocztówek z Poznania.*
- lot – samolot – lotniczy – *Znaczek na list lotniczy.*
- szynka – krzynka – skrzynka – *Gdzie jest skrzynka pocztowa?*

3 *Proszę posłuchać dialogu i skorygować błędy.* [FD083]

190

JOANNA:	Karol!	1. ✓
KAROL:	Tak, ~~mama~~?	2. *mamo*
JOANNA:	Mam do siebie prośbę, czy może iść na zakupy?	3.
KAROL:	Teraz? Wolałabym nie.	4.
JOANNA:	Karol!	5.
KAROL:	Mamo, jestem bardzo zawzięty. Naprawdę!	6.
JOANNA:	Karol!	7.
KAROL:	Dobrze, dobrze. Już idzie.	8.

4 Proszę posłuchać dialogu i uzupełnić brakujące litery
w liście zakupów pani Joanny. [FD084]

🎧
191

1. la _S_ ka tłu _S_ tej kiełba _s_ y
2. ___wier___ kilo łoso___a,
3. 60 deka tuń___yka
4. ___le___e w ___mietanie
5. 5 kilo ___emniaków
6. gro___ek mro___ony
7. kukury___a w pusz___e

8. tabli___ka go___kiej
   ___ekolady
9. 3 pa___ki palu___ków
10. brą___owy ___ukier
11. ma___ło wiej___kie
12. płatki kukury___ane
    w mio___e

5 Proszę napisać, w którym sklepie pani Joanna kupi, które produkty.
Proszę posłuchać, sprawdzić i powtórzyć. [FD085]

🎧
192

„SPOŻYWCZAK SZYMONA"	SUPERSAM „U CECYLII"	„BABCINE PYSZNOŚCI"
SZ/RZ/Ż/CZ/DŻ	S/Z/C/DZ	Ś/Ź/Ć/DŹ
	• _laska tłustej kiełbasy_	

FONETYKA

POGODA

1 ***Proszę posłuchać i zdecydować, co pasuje.*** [FD091]

193

ANGELA: Cześć!

MAMI: ...

ANGELA: CZEŚĆ!!! Czego słucha_sz_ (ć/sz)?

MAMI: Przepraszam. Brry, ale ___mno (zi/ży)!

ANGELA: Zima, to jest ___mno (zi/ży). Pytałam jakiej muzyki słucha___ (ć/sz) tak intensyw___ (ny/nie)?

MAMI: Ach, to Antonio Vivaldi, zna___ (ś/sz)? Nazywa się „Cztery po___y (l/r) roku".

ANGELA: Oczywiście, że znam. Moja ulu___iona (b/w) cz___ść (e/ę) to „Lato". Ma taki wakac___jny (e/y) klimat.

MAMI: Ja lubię „Je___eń" (si/sz). ___koda (Ś/Sz), że złota polska je___eń (si/sz) już się sko___czyła (ń/ni).

ANGELA: ___ (Ś/Sz) koda. Ale do wio___ny (s/z) niedaleko! Je___ cze (ś/sz) dwa miesiące i będzie zie___ono (l/ł)!

2 A ***Proszę posłuchać i powtórzyć.***
B ***Co mówi lektor?*** [FD092]

194
195

1. zły | złe | źle
2. świetny | świetne | świetnie
3. ładny | ładne | ładnie
4. konkretny | konkretne | konkretnie
5. intensywny | intensywne | intensywnie
6. smaczny | smaczne | smacznie

7. mglisty | mgliste | mgliście
8. piękny | piękne | pięknie
9. słoneczny | słoneczne | słonecznie
10. systematyczny | systematyczne | systematycznie
11. ciekawy | ciekawe | ciekawie
12. ostrożny | ostrożne | ostrożnie

3 **Co pasuje? Proszę posłuchać, sprawdzić i powtórzyć.** [FD093]

196

> styczeń | luty ✓ | marcu | kwiecień | maj | czerwcowa |
> lipcowe | wrzesień | październy* | listopada

1. Idzie *luty*, podkuj **buty**.
2. W _____ jak w **garncu**.
3. Pełnia _____ – burza **gotowa**.
4. Miesiąc _____ – czas do **życzeń**.
5. Miesiąc _____, marca obraz **wierny**.
6. Upały _____ wróżą mrozy **styczniowe**.
7. Jaki pierwszy _____, taka będzie **jesień**.
8. Kwiecień ciepły, mokry _____, będzie żyto jako **gaj**.
9. _____ **plecień**, bo przeplata, trochę zimy, trochę lata.
10. Deszcz w początku _____ mrozy w styczniu **zapowiada**.

* październy *(arch.)* = październikowy

4 **Posłuchaj i zdecyduj, jakie głoski słyszysz.** [FD094]

197

W lutym w Polsce zwykle jest mró**z** [*s*] i pada śnie**g** [___]. Dzieci mają **w**tedy [___] ferie zimowe i ch**ę**tnie [___] bawią si**ę** [___] na śniegu, jeżdżą na nartach albo sankach. W marcu jest różnie – czasem środek zimy – biało i zimno, a czasem już wiosna – zielono i ciepło. **W** [___] kwietniu [___] k**w**itną [___] drzewa i pier**w**sze [___] wiosenne k**w**iaty [___]. **W**szyscy [___] czekaj**ą** [___] na maj, bo mówią, że to najpiękniejszy miesi**ą**c [___] w roku. Niestety czasem pogoda jest kapryśna i w maju pada deszcz, jest zimno i pochmurno. Lato cora**z** [___] cz**ę**ściej [___] jest upalne, to znaczy bardzo gor**ą**ce [___]. Termometry często pokazują t**rz**ydzieści [___] stopni, taka temperatura nie jest typowa dla polskiego klimatu. A co jest charakterystyczne? Letnie burze – krótkie, ale intensywne. **W**rzesień [___] i październik albo są słoneczne i kolorowe (**w**tedy [___] mówimy, że jest złota polska jesień), albo chłodne i „mokre" od deszczu. Listopad jest już zwykle deszczowy i szary. A w grudniu **w**szystkie [___] dzieci znó**w** [___] czekają na śnie**g** [___].

FONETYKA

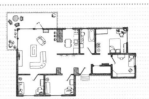

1

A *Proszę posłuchać dialogu w sklepie meblowym i uzupełnić litery.*
B *Proszę zdecydować, co kupiła Anastazja Łęcka, a co kupił*
   Szczepan Jarząbek? Co kupili oboje? [FD101]

198

CO SPRZEDAŁA ŁUCJA?	CO KUPIŁA ANASTAZJA ŁĘCKA?	CO KUPIŁ SZCZEPAN JARZĄBEK?
1. _SZ_ afę		
2. ___ofę	✓	
3. łó__ko		
4. ___afkę		
5. lu__tro		
6. telewi__or		
7. ___tół		
8. k__e___ła		
9. wie__ak		
10. obra___		
11. ___lew		
12. ___mywarkę		
13. ubika__ję		
14. pry__ni___		

2

A *Proszę posłuchać i uzupełnić słowa.*
B ***Co nie pasuje fonetycznie?*** [FD102]

199

1. ubika _C_ ja | kamieni___a | ś___ana | budowni___two
2. gab___net | p___wnica | str___ch | kom___nek
3. p___edpokój | spi___arnia | gara___ | mie___kanie
4. wspó___lokator | pra___ka | ciep___e | op___aty

3 *Proszę posłuchać i powtórzyć.* [FD103]

🎧 200

1. W przedpokoju.
   W przedpokoju stoją wieszaki.
   W przedpokoju stoją trzy wieszaki.
   W przedpokoju stoi szafa i trzy wieszaki.

2. Śmieci.
   Kosz na śmieci.
   Pod zlewem jest kosz na śmieci.
   Pod zlewem jest kosz na śmieci, a szafka wisi.
   Pod zlewem jest kosz na śmieci, a szafka wisi nad zmywarką.

3. Na ścianach.
   Wszędzie na ścianach.
   Wszędzie na ścianach wiszą zdjęcia.
   Wszędzie na ścianach wiszą zdjęcia z wakacji.
   W pokoju gościnnym wszędzie na ścianach wiszą zdjęcia z wakacji.

4. Na poczcie.
   W kasie na poczcie.
   W kasie na poczcie czeka paczka.
   W kasie na poczcie czeka na ciebie paczka.
   W kasie na poczcie czeka na ciebie paczka z Poczdamu.

5. Przeprowadzam się.
   Przeprowadzam się do kamienicy.
   Przeprowadzam się z hostelu do kamienicy.
   Przeprowadzam się z hostelu do czteropiętrowej kamienicy.
   Wkrótce przeprowadzam się z hostelu do czteropiętrowej kamienicy.

4 *Proszę posłuchać i zdecydować, czy słyszysz głoskę dźwięczną (d, w), czy bezdźwięczną (t, f).* [FD104]

🎧 201

1. | **d** | **t** |

a prze**d** telewizorem (*t*)
b po**d** oknem (........)
c o**d** czwartku (........)
d na**d** kwiatkiem (........)
e na**d** nami (........)
f o**d** zaraz (........)
g po**d**łoga (........)
h urzą**d** (........)

2. | **w** | **f** |

a **w** przedpokoju (........)
b **w** wannie (........)
c **w** ubikacji (........)
d **w** spiżarni (........)
e **w** środku (........)
f zmy**w**arka (........)
g zle**w** (........)
h lodó**w**ka (........)

FONETYKA
polski w praktyce

5 *Proszę posłuchać i zdecydować, czy słyszysz głoskę dźwięczną (z, ż), czy bezdźwięczną (s, sz).* [FD105]

🎧 202

1. | **z | s**

   a be**z** balkonu (*Z*)

   b be**z** piwnicy (_____)

   c **z** dostępem do internetu (_____)

   d **z** widokiem na morze (_____)

   e obra**z** (_____)

   f na ga**z** (_____)

2. | **ż | sz**

   a wzdłu**ż** rzeki (_____)

   b wzdłu**ż** szosy (_____)

   c wzdłu**ż** autostrady (_____)

   d ju**ż** jutro (_____)

   e poło**ż** to tam (_____)

   f obok wie**ż** (_____)

6 *Proszę przeczytać i zdecydować, gdzie znajdują się mieszkania z ogłoszeń. Następnie proszę posłuchać, sprawdzić i powtórzyć.* [FD106]

🎧 203

MIASTO: Częstochowa ✓ | Gdańsk | Rzeszów | Trzebinia | Zamość
ULICA: Boczna ✓ | Cisowa | Jana Długosza | 11 Listopada | Wrzosowa

1. **Cz**yste, słone**cz**ne mieszkanie dla **cz**terech osób, w nowo**cz**esnym bloku na **cz**wartym piętrze, brak **cz**ynszu. Dobre połą**cz**enie z u**cz**elniami i miaste**cz**kiem studenckim. Od sty**cz**nia. *Częstochowa* , ul. *Boczna* .

2. Dwa pokoje do wynajęcia na cichym osiedlu. _____, ul. _____, dziesięć minut pociągiem do Śródmieścia. 55 metrów kwadratowych, ciasna, ale ciepła łazienka, pokój gościnny po remoncie.

3. Studentka socjologii szuka współlokatorki do samodzielnego pokoju dwuosobowego. To przestronny, jasny salon z aneksem kuchennym i osobną łazienką, wysoki standard. Stara, stylowa kamienica, blisko Starego Miasta. Dostępne od zaraz. _____, ul. _____.

4. Dom z garażem w _____ na Podgórzu, ul. _____. Na parterze duży salon, w pełni wyposażona kuchnia ze spiżarnią. Na piętrze trzy sypialnie i łazienka z ogrzewaniem podłogowym. Korzystne położenie, w pobliżu sklepy, lekarze i urzędy. Można wynająć od września.

5. Sprzedam trzypokojowe mieszkanie na pierwszym piętrze, przy ulicy _____ w _____. Przestronny salon z kuchnią, przedpokój, dwa przytulne pokoje, łazienka z prysznicem. 10 minut pieszo do przystanku.

D

A *Proszę przeczytać i skorygować dialog.*
B *Proszę przeczytać pary słów – błędne i poprawione,*
   np. w prawie – w sprawie. [FD107]

STUDENT:	Dzień dobry, dzwonię <u>w prawie</u>
	mieszkania. Czy oferta jest jeszcze
	aktualna?
WŁAŚCICIELKA:	Tak.
STUDENT:	W jakiej cynie jest to mieszkanie?
WŁAŚCICIELKA:	915 złotych plus rachunki za światło
	i gaz.
STUDENT:	Jak tu że jest to mieszkanie?
WŁAŚCICIELKA:	Duży pokój z kuchnią i łazienką.
STUDENT:	Czy jest tu meblowanie?
WŁAŚCICIELKA:	Tak, proszę przejechać i zobaczyć.
STUDENT:	Czy tam można dojechać?
WŁAŚCICIELKA:	Tramwajem numer 14, pięć
	przystanków od centrum.
STUDENT:	Jedźcie jedno pytanie: czy jest telefon?
WŁAŚCICIELKA:	Tak, jest też dostąp do internetu.
STUDENT:	Dziękuję bardzo, przyjadę za gościnę.

1. *w sprawie*
2. ✓
3. ....
4. ....
5. ....
6. ....
7. ....
8. ....
9. ....
10. ....
11. ....
12. ....
13. ....
14. ....
15. ....
16. ....
17. ....

8
🎧 205

A *Proszę posłuchać dialogu. Co pasuje?*
B *Proszę głośno przeczytać podkreślone zdania.* [FD108]

Nowe mieszkanie Angeli. Znajom_*i*_ (e/y/i) pomagają

w p___eprowadzce (rz/si/z).

ANGELA: Bardzo wam dziękuję za pomo___ (c/ć/cz)!

MAMI: Naprawdę nie ma za co! Ciesz___my (e/y/i) się, że wszystko
dobrze się skończyło.

JAVIER: O tak! Teraz masz piękne mieszkanie w centrum, więc w weekendy,
kiedy po impre___e (z/zi/ż) spóźnimy się na no___ny (s/c/dz)
autobus, będziemy mogli wpa___ (ść/szcz/szć) do ciebie!!!

ANGELA: Jeśli to nie będzie w każdy weekend, to zapraszam.

UWE: Macie rację! Mieszkanie jest naprawdę ładne! Małe, ale dobrze
rozp___anowane (l/ł/r)!

MAMI: I ma piękne, ciepłe kolory. Pasuj___ (o/ą/om) do ciebie.

FONETYKA

PODRÓŻE

---

1 *Proszę posłuchać i uzupełnić tekst podanymi literami.* [FD111]

🎧 206

| c | cz | s | ś | si | sz | z | ż | dzi |

Rze*cz*po*s*polita Polska (RP) le__y w Europie __rodkowej. Grani__y z Niem__ami na zacho__e, __echami i __łowa__ją na południu, Ukrainą i Białoru__ą na w__cho__e, z Litwą i z Ro__ją na półno__y. Polska to du__y kraj – __ewiąty w Europie pod w__ględem wielko__ci terytorium. __tolica Polski to War__awa – __entrum polity__ne kraju. Tam mie__ka Pre__ydent RP, tam jest parlament i inne wa__ne in__tytu__je. __ymbolem War__awy jest __yrena.

---

2 *Proszę posłuchać i uzupełnić tekst podanymi literami.* [FD112]

🎧 207

| e | ę | i | j | y |

Polska l*eży* nad Morz__m Bałt__ck__m, do któr__go wpł__wa W__sła, na__dłuższa polska rz__ka. Na północn__m zachodzi__ na Bałt__ku l__żą w__sp__ Uznam i Wol__n. Na południu Polsk__ znajdują si__ góry: bardzo tur__st__czn__ Tatr__ z Zakopan__m, al__ t__ż mni__ popularn__ Besk__d__ oraz Sud__t__ na południow__m zachodzi__ i Bieszczad__ na południow__m wschodzi__. Na północn__m wschodzi__ leż__ pi__kny region, Mazur__: „Kra__na t__siąca __zior" i zi__lon__ch lasów.

---

3 Proszę podpisać regiony na mapie.
W zadaniu pomogą wiersze fonetyczne. [FD113]

🎧 208

Małopolska | Mazowsze |
Mazury | Podkarpacie | Podlasie |
Śląsk | Pomorze Gdańskie |
Pomorze Zachodnie ✓ | Kujawy |
Suwalszczyzna | Wielkopolska

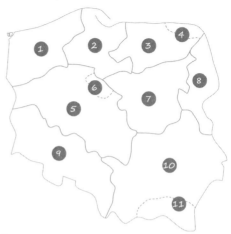

1. Gdy pogodnie, wkładam spodnie, na *Pomorze Zachodnie* quadem gnam wygodnie.

2. Maniery pańskie, płace sułtańskie, znak, że to już ....

3. Gdy na .... jadą kocury, szczury pazury kryją do dziury.

4. Każdy przyzna to mężczyzna: .... – chłodu ojczyzna.

5. Wielka, swojska, staropolska ta kraina ....

6. Na .... po przyprawy – ciekawy pomysł Czesławy.

7. Weź porsche nowsze, jedź na .... : powietrze zdrowsze, dorsze niezgorsze.

8. Gdy w trasie byli na .... , wzięli karasie i po kiełbasie.

9. Mięso z gąski i przekąski w ścisłym związku są na ....

10. Małe miasto, mała wioska, małe pola – ....

11. Po herbacie wyprawa na .... , skoro w górach wrażeń szukacie.

---

4 Proszę powtórzyć za lektorem. [FD114]

🎧 209

1. Gotycka kamienica.
   Gotycka kamienica z cegły.
   Gotycka kamienica z cegły na północy.
   Gotycka kamienica z cegły znajduje się na północy.
   Gotycka kamienica z cegły znajduje się na północy na granicy.
   Gotycka kamienica z cegły znajduje się na północy na granicy z Niemcami.

FONETYKA

2. W Bieszczadach.
   Szczyt w Bieszczadach.
   Szlakiem na szczyt w Bieszczadach.
   Maszeruje szlakiem na szczyt w Bieszczadach.
   Szybko maszeruje szlakiem na szczyt w Bieszczadach.
   Mieszczuch szybko maszeruje szlakiem na szczyt w Bieszczadach.

3. Turysta schodzi.
   Turysta w trampkach schodzi.
   Turysta w trampkach schodzi do schroniska.
   Turysta w starych trampkach schodzi do schroniska.
   Turysta w starych trampkach schodzi do schroniska w Beskidach.
   Turysta w starych trampkach schodzi do schroniska w Beskidach
   o wschodzie słońca.

4. Wzdłuż rzeki.
   Żeglując wzdłuż rzeki.
   Żeglując wzdłuż rzeki lub po jeziorze.
   Żeglując wzdłuż rzeki lub po jeziorze można zobaczyć zwierzęta.
   Żeglując wzdłuż rzeki lub po jeziorze można zobaczyć, gdzie żyją
   zwierzęta.
   Żeglując wzdłuż rzeki lub po jeziorze można zobaczyć, gdzie żyją
   zwierzęta, na przykład żubry.

5 *Proszę posłuchać dialogu w informacji kolejowej i poprawić błędy.* [FD115]

210

PODRÓŻNY:	Przepraszam, jak ~~pojechać~~ do Białegostoku?	1. *dojechać*
		2. ✓
URZĘDNICZKA:	Chwileczkę, zaraz sprawdzę. Musi pan wyjechać najpierw do Warszawy i tam przejść się w pociąg do Białegostoku.	3.
		4.
		5.
PODRÓŻNY:	Czy nie ma pośredniego połączenia?	6.
URZĘDNICZKA:	Niestety, nie.	7.
PODRÓŻNY:	O której mam pierwszy pociąg do Warszawy?	8.
		9.
URZĘDNICZKA:	O 5:20 z drugiego peronu.	10.
PODRÓŻNY:	Dziękuję pani.	11.

6

A *Proszę powtórzyć za lektorem.*
B *Proszę posłuchać informacji kolejowej i zaznaczyć właściwe słowa.* [FD116]

211
212

1
- a podłużni | <u>podróżni</u>
- b pospieszny | pospieszmy
- c wjeżdża | wieszcza
- d trzecie | trzeci

2
- a przejazd | przyjazd
- b jednoczę się | jednocześnie
- c ulec | uleć

3
- a obozowy | osobowy
- b pierwsi | pierwszy
- c bieg | wiek

4
- a przez żyłki | przesyłki
- b wagonie | wagony

5
- a lotniczego | lot niższego
- b Balicach | Walizach
- c zając | zając

7

A *Proszę posłuchać i uzupełnić na mapie nazwy miast i rzek.*
B *Jaką długość mają najdłuższe polskie rzeki: Wisła i Odra?* [FD117]

213

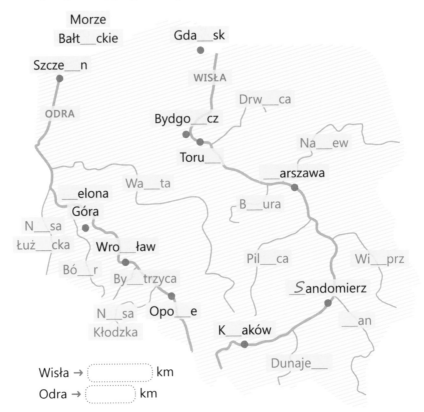

Morze Bałt__ckie

Szcze__n

ODRA

Gda__sk

WISŁA

Drw__ca

Bydgo__cz

Toru__

Na__ew

Wa__ta

__elona Góra

__arszawa

N__sa

Łuż__cka

Wro__ław

B__ura

Bó__r

By__trzyca

Pil__ca

Wi__prz

N__sa Kłodzka

Opo__e

K__aków

Sandomierz

__an

Dunaje__

Wisła → [ ] km

Odra → [ ] km

110·

ŻYCIORYS

---

1 **Proszę posłuchać piosenki i podkreślić właściwe słowa.** [FD121]

 214

1. sto łat | stolarz | <u>sto lat</u>
2. nie żyje | niech żyje | niechże je
3. jesz czy raz | jeż czy las | jeszcze raz

---

2 A **Proszę posłuchać i powtórzyć.**
B **Co mówi lektor?** [FD122]

 215
216

1. postawowej | <u>podstawowej</u>
2. przedszkole | przy szkole
3. przeszła | przyszła
4. pobrać się | po bracie
5. zakochacie się | zakochać się
6. umarł | umarzł

7. pracujesz | prasujesz
8. wciąż | w ciąży
9. zginął | skinął
10. wjechali | wyjechali
11. wyjścia | wyjść za

---

3 **Proszę powtórzyć. Proszę napisać datę.** [FD123]

 217

a
- siódmy
- siedemnasty
- siedemdziesiąty
- siedemset siedemdziesiąty siódmy
- siedemnastego sierpnia tysiąc siedemset siedemdziesiątego siódmego roku → *17.08.1777 r.*

b
- dziewiąty
- dziewiętnasty
- dziewięćdziesiąty
- dziewięćdziesiąty dziewiąty
- dziewięćset dziewięćdziesiąty dziewiąty
- w listopadzie tysiąc dziewięćset dziewięćdziesiątego dziewiątego roku → _____

D

c
- piąty
- piętnasty
- pięćdziesiąty
- pięćset pięćdziesiąty piąty
- w tysiąc pięćset pięćdziesiątym piątym roku → ....

d
- czwarty
- czternasty
- czterdziesty
- czterysta czterdziesty czwarty
- czternastego czerwca tysiąc czterysta czterdziestego czwartego roku → ....
....

e
- szósty
- szesnasty
- sześćdziesiąty
- sześćset sześćdziesiąty szósty
- w tysiąc sześćset sześćdziesiątym szóstym roku → ....

f
- trzeci
- trzynasty
- trzydziesty
- trzydziesty trzeci
- trzysta trzydziesty trzeci
- trzynastego września tysiąc trzysta trzydziestego trzeciego roku → ....
....

4

🎧
218
219

A *Proszę posłuchać i poprawić podkreślone słowa.*
B *Proszę posłuchać i powtórzyć pary słów, np. wszy – wsi.* [FD124]

Urodziłam się na wszy _wsi_ , ale moi rodzice szybko przyprowadzili
.... się do miasta, wiec .... do szkoły
podstawowej poszłam już w Doznaniu .... W szkole miałam
bardzo fajne koleżanki i potem razem poszliśmy .... do
jednego liceum. W liceum poznałam Marka, szybko zakochałam się w nim
i nie miałam już czasu ani dla koleżanek, ani na naukę. Maturę zdałam
słabo i niestety nie dostałam się na studia. Chciałyśmy ....
się poprać .... z Markiem, ale rodzice bardzo się
denerwowali i mówili, że najpierw musimy skoczyć .... studia
i znaleźć place .... Zrozumiałam, że murze .... się
zmobilizować. Dostałam się na studia zaoczne i poszłam do pracy. Na
początku było mi Czeszko .... i studiować, i prasować
.... , ale potem biło .... lepiej. Teraz jestem już zoną
.... Marka. Skończyłam studia w zeszyłem .... roku
i pracuję w dużej firmie. Na radzie .... nie planujemy cieczy
....

FONETYKA
polski w praktyce

UBRANIE

220

1 **Proszę posłuchać dialogu, co pasuje?** [FD131]

MAMI: Czy możemy u _si_ ąść (si/ci) na chwilę? Jestem już potwornie
zmę___ona (ci/cz).

ANGELA: Ja___ne (s/ś). Ale tylko na chwilę. Pół godziny na herbatę
wy___tarczy (s/sz)?

MAMI: Mam na___eję (dz/dzi). Czy możesz mi po___iedzieć (b/w),
dlaczego od kilku godzin ___iegamy (b/w) po sklepach?

ANGELA: To proste! Za kilka dni przyje___dżają (z/ż) moje koleżanki
z Lond___nu (i/y). Muszę kupić ___obie (s/si) coś nowego do
ubrania. Coś or___ginalnego (i/y)! Coś, ___ego (ci/cz) one nie
mają.

MAMI: Naprawdę musisz?

ANGELA: Nie mog___ (om/ą) mnie zoba___yć (cz/sz) w starych
___uchach (ci/cz)!

MAMI: OK. To ch___ba (i/y) nie jest problem, przecie___ (ż/ź)
w Krakowie jest dużo sklepów.

ANGELA: Te same sklepy są w Anglii. A ja muszę mieć coś
w___jątkowego (e/y)! Nie rozumiesz!?

MAMI: Ch___ba (i/y) nie rozumiem. A czego konkretnie szukamy?
Sukienki? Spodni? Ko___tiumu (s/ś)?

ANGELA: Jeszcze nie wiem, ale ma to być ol___niewają___e (ś/sz) (c/s)!

② **Julia chodziła po sklepach. Zrobiła duże zakupy.**
Proszę posłuchać i uzupełnić litery. [FD132]

🎧 221

TOMEK: Wow! Julia! Obrabowałaś bank?!

JULIA: Wiem, chyba trochę przesadziłam z tymi zakupami...

TOMEK: A co kupiłaś?

JULIA: Ojej, bardzo dużo. Zaraz ci pokażę. Kupiłam buty na ob _c_ asie,
__ukienkę, __akiet, dwie __pódni__e, blu__ę, podko__ulek,
pi__amę, raj__topy, __karpety, bieli__nę, no i jeszcze
ubrania na zimę: dwa pła____e, kapelu__, __alik, chu__tkę,
__apkę, rękawi__ki i ko__aki. Aha, i bi__uterię.

TOMEK: I to wszystko w jednym sklepie?

JULIA: Nie, byłam w kilku małych sklepach.

③ **Czy wiesz, co Julia kupiła w którym sklepie?**
Proszę napisać, a następnie przeczytać. [FD133]

🎧 222

„STYL"	„ZORA"	„FRANCJA ELEGANCJA"
spódnica		

„SZYK"	„ODZIEŻOWY"	„CZAR"
szalik		

④ A **Proszę posłuchać zdań i skorygować słowa.**
B **Proszę powtórzyć pary słów.** [FD134]

🎧 223 224

1. bawialniany – *bawełniany*
2. w klatkę –
3. z kucanym –
4. dzięki –
5. w piaski –
6. słoty –
7. drugie –
8. wiązki –
9. ciepli –
10. przez rok czysta –

5 **Proszę powtórzyć.** [FD135]

 D

 225

1. Olśniewająco!
   Wyglądasz olśniewająco!
   W tej chustce wyglądasz olśniewająco!
   W tej przezroczystej chustce wyglądasz olśniewająco!

2. Coś wystrzałowego.
   Szukam czegoś wystrzałowego.
   Szukam jeszcze czegoś wystrzałowego.
   Szukam jeszcze czegoś wystrzałowego na specjalną okazję.

3. Nie żartuj!
   Nie żartuj, że to przymierzasz!
   Nie żartuj, że przymierzasz ten płaszcz!
   Nie żartuj, że przymierzasz ten skórzany płaszcz!
   Nie żartuj, że przymierzasz ten obrzydliwy, skórzany płaszcz!

4. Proszę używać szamponu.
   Proszę używać szamponu z odżywką.
   Proszę używać szamponu z odżywką do włosów zniszczonych.
   Proszę używać szamponu z odżywką do włosów zniszczonych
   i przesuszonych.

 6

A **Proszę posłuchać i powtórzyć pary wyrazów.**
B **Co mówi lektor? Proszę podkreślić słowa.** [FD136]

 226
227

1. <u>dłuży</u> | dłuższy
2. węszy | węższy
3. milszy | milsi
4. szerzy | szerszy
5. szybsi | szybszy
6. nowszy | nowsi

7. cieńszy | cieszy
8. kruszy | krótszy
9. gorszy | gorsi
10. cichszy | ciszy
11. częstszy | czystszy

7

A **Proszę posłuchać i powtórzyć pary wyrazów.**
B **Proszę podkreślić słowa, które możesz usłyszeć u fryzjera,
a następnie posłuchać i skontrolować.** [FD137]

 228
229

1. <u>przedziałek</u> | przydziałek
2. szczotki | szczątki
3. mysie | mycie
4. strzyże | strzeże
5. frezer | fryzjer

6. satyn | szatyn
7. obciąć | odciąć
8. siwy | siły
9. grzywka | zgrzewka
10. czeszą | cieszą

CIAŁO, ZDROWIE

1 Proszę posłuchać i uzupełnić tekst. [FD141]

🎧 230

| c | ć | ci | cz | dz | dzi | s | ś | si | sz | ż |

Lu_dzi_e cho___ą do studia fitness z ró___nych powodów. Du___o osób chce mieć dobrą kondy___ję i fitness to dla nich dobra motywa___ja, ___eby ___wiczy___. Panowie chcą mieć imponują___e mię___nie, a panie zgrabną ___ylwetkę. Są osoby, które mają nadwagę i ch___ą się odchu___ać, zwykle sto___ują dietę, ale ___łownia ich motywuje. Łatwiej ___wiczy___ z instruktorem ni___ samemu. Regularnie powtarzane ___wiczenia redukują tkankę tłu___owę, pomagają ___palać kalorie i wzma___niają ___łabą kondy___ję. I oczywi___e wy___uplają!

2 Proszę posłuchać, uzupełnić i powtórzyć. [FD142]

🎧 231

| ci | cz | dzi | s | ś | si | sz | rz | ż |

1. Lekkoatle_ci_ muszą czę___ej ćwi___yć mię___nie na ___łowni.
2. Ten star___y pan ma li___ne zmar___ki mimi___ne na ___ole i wokół o___u.
3. Poło___yć się na b___uchu, ręce wzdłu___ ___ała, nogi w gó___e.
4. Mo___e zjadła ___co___ nie___wie___ego na mie___cie i się zatruła___?
5. Pro___ę za___ywać krople ___ołądkowe p___ed ka___dym po___łkiem p___ez t___y dni.
6. Powiniene___ najpierw p___e___ytać, jakie są ___ałania niepo___ądane i p___eciww___kazania.

FONETYKA

3

A *Proszę posłuchać i uzupełnić słowa.*
B *Jaka to kategoria? Proszę posłuchać i powtórzyć za lektorem.* [FD143]

232
233

	CIAŁO CZŁOWIEKA	SYMPTOMY	DIAGNOZA
1. _ż_ oł _ą_ dek	✓	◯	◯
2. p__e__ębienie	◯	◯	◯
3. wy__okie ci__nie__e	◯	◯	◯
4. du__no__ć	◯	◯	◯
5. zapa__enie p__uc	◯	◯	◯
6. __atru__e poka__mowe	◯	◯	◯
7. ko__ci	◯	◯	◯
8. ka__el	◯	◯	◯
9. u__y	◯	◯	◯
10. md__oś__	◯	◯	◯
11. gor__ __ka	◯	◯	◯
12. __yja	◯	◯	◯
13. u__u__enie	◯	◯	◯

D

4

A *Proszę połączyć wyrazy z dwóch kolumn w pary minimalne, a następnie posłuchać i powtórzyć za lektorem.*
B *Proszę podkreślić części ciała.* [FD144]

234

1.	<u>włosy</u>	palce	a
2.	plecie	ramię	b
3.	uszy	zięby	c
4.	pierwsi	włoży	d
5.	usta	uczta	e
6.	lamie	piersi	f
7.	pałce	uczy	g
8.	szyje	plecy	h
9.	zęby	żyje	i

5

A *Proszę posłuchać i poprawić podkreślone słowa.*
B *Proszę przeczytać pary słów, np. uciąć – usiąść.* [FD145]

235

PACJENTKA: Dzień dobry, panie doktorze.

LEKARZ: Dzień dobry pani, proszę uciąć *usiąść* . Co pani dolega?

PACJENTKA: Złe .... się czuję. Boli mnie gardło, ale nie kaszlę.

LEKARZ: Trzyma .... pani temperaturę?

PACJENTKA: Tak, ale nie bardzo wysoką, natomiast miałam sine
.... bóle głowy.

LEKARZ: Rozumiem, a czy nie wolał .... panią żołądek?

PACJENTKA: Nie, raczę .... nie.

LEKARZ: W porządku. Proszę pokazać mi gardło.

LEKARZ: Tak myślałem, jest mocno zaczerwienione.

PACJENTKA: Aha, panie doktorze, zapomniałam powiedzieć, że cały czas
bolą mnie mięsie ....

LEKARZ: Ma pani typowe objawi .... grypy, proszę zdjąć
bluzkę, muszę osłuchać puca ....
Na szczęście nie ma żadnych zmian. Proszę się oblać
....

PACJENTKA: Czy mógłby mi pan przy okazji zmierzyć czy śnienie
.... ?

LEKARZ: Dobrze, proszę powinąć .... lewy rękaw.
Czy śnienie .... jest w normie. Teraz
przypiszę .... pani lekarstwa. Oto pani recepty
i dzwonienie .... Proszę przez cały tydzień
leżeć w uszku ....

PACJENTKA: A jak mam stosować te lekarstwa?

LEKARZ: Aspirynę i witaminy – jedna tabletka trzy razy dziennie.

PACJENTKA: A syrop?

LEKARZ: Po każdym posiłku łyżeczkę, nie pobijać ....

PACJENTKA: Dziękuję panu bardzo. Do widzenia.

LEKARZ: Proszę przyjmie .... , do widzenia.

WIERSZE

→ 64

1 🎧 236

JOANNA STANEK

„Anna w lobby"

– Czy to pokój jest gościnny?
– Raczej dzienny – całkiem inny.
Miękka sofa, cenna wanna,
oddech złapie panna Anna.
Lobby zaś to hol przestronny
Zmieści się i zaprzęg konny.

→ 56

2 🎧 237

JOANNA STANEK

„Baby obawy"

Pewna baba siwa,
co żywot prawy wiedzie
W potwornej wbrew zwyczajom
znalazła się biedzie.

Bo w czwartek gdy Baśce
kabałę stawiać wyszła
Na wietrze, burzy
zostawić śmiała wyżła.

Wył wyżeł bez przerwy,
wnet by wywalić mógł drzwi
Nie wiedziano we wsi,
że baba u Baśki tkwi.

W piątek – obelgi, wyzwiska...
Nikt nie krył wzburzenia.
Czyż więc wyglądać wciąż
winna baba zbawienia?

→ 54

3 🎧 238

MAŁGORZATA STRZAŁKOWSKA

„Bąk"

Spadł bąk
na strąk,
a strąk
na pąk.
Pękł pąk,
pękł strąk,
a bąk się zląkł.

→ 42 43

4 🎧 239

MAŁGORZATA STRZAŁKOWSKA

„Buła, bibuła"

Buła, bibuła,
Baobab, baba,
żądło, żarówka,
żyrafa, żaba,
rurka, rewolwer,
rabarbar, robot,
chochoł, chałupa,
chleb, Chechło, chrobot,
pszczoła, pszczołojad,
Pszczyna, pszenica,
źrebak, ździebełko,
źródło, źrenica,
szczebel, szczelina,
szczebiot, szczekanie,
Ćmielów, ćma, ćwikła,
ćwiek i ćwierkanie,
szal, szafa, szyszka,
szewc, szeryf, sześć,
czub, czoło, Czesław,
czyżyk i – cześć!

Spyta ktoś, co stąd wynika?
Gimnastyka dla języka!

→ 76

5 🎧 240

MAŁGORZATA STRZAŁKOWSKA

„Cietrzew"

Trzódka piegży
drży na wietrze,
chrzęszczą w zbożu
skrzydła chrząszczy,
wrzeszczy w deszczu
cietrzew w swetrze
drepcząc w kółko
pośród gąszczy.

6 🎧 241

→ 76

MAŁGORZATA STRZAŁKOWSKA

„Chrząszcz"

Trzynastego, w Szczebrzeszynie
chrząszcz się zaczął tarzać w trzcinie.
Wszczęli wrzask szczebrzeszynianie:
– Cóż ma znaczyć to tarzanie?!
Wezwać trzeba by lekarza!
Zamiast brzmieć ten chrząszcz się
*   tarza!*
Wszak Szczebrzeszyn z tego słynie,
że w nim zawsze chrząszcz BRZMI
*   w trzcinie!*
A chrząszcz odrzekł niezmieszany:
– Przyszedł wreszcie czas na zmiany.
Drzewiej chrząszcze w trzcinach
*   brzmiały,*
teraz będą się tarzały.

7 🎧 242

→ 70

MAŁGORZATA STRZAŁKOWSKA

„Czyżyk"

Czesał czyżyk czarny koczek,
czyszcząc w koczku każdy loczek,
po czym przykrył koczek toczkiem,
lecz część loczków wyszła boczkiem.

8 🎧 243

→ 54

MAŁGORZATA STRZAŁKOWSKA

„Dzięcioł"

Czarny dzięcioł
z chęcią
pień ciął.

9 🎧 244

→ 51

JOANNA STANEK

„Gdybanie Byłych"

Biegali raz chyżo, by nie być w tyle
Brygida Była, jej Były i Byłe.
dyszeli jak miechy,
pięty zmęczyli,
lecz ileż uciechy,
gdyby przybyli!

Wieńce, wiwaty, i co jeszcze chcecie
czekałyby Byłych przecie na mecie.
Lecz Leszek Dzisiejszy
teraz jest mistrzem.
Wstyd nie chce być mniejszy –
ech, źle jest dziś tym trzem.

10 🎧 245

→ 59

MAŁGORZATA STRZAŁKOWSKA

„Goryl"

Turlał goryl po Urlach
kolorowe korale,
Rudy góral kartofle
tarł na tarce wytrwale.
Gdy spotkali się w Urlach,
Góral tarł, goryl turlał,
chociaż sensu nie było w tym wcale.

FONETYKA
polski w praktyce

11 🎧 246 → 59

MAŁGORZATA STRZAŁKOWSKA

„Królik"

Kurkiem kranu kręci kruk,
kroplą tranu brudząc bruk,
a przy kranie,
robiąc pranie,
królik gra na fortepianie.

12 🎧 247 → 59

MAŁGORZATA STRZAŁKOWSKA

„Lula"

Tulipany tuli Lula,
W Tulipanach Lula hula,
Tulipany tuli pan,
Tulipanów Luli fan.

13 🎧 248 → 79

MAŁGORZATA STRZAŁKOWSKA

„Łoś"

Do gościa rzekł raz pewien łoś:
– Puść gwóźdź!
Weź liść!
Chwyć kiść!
Coś noś!
Nieś sieć!
Gryź kość!
Czyść nać!
Kładź maść!
Lecz gość miał dość i poszedł spać.

14 🎧 249 → 73

MAŁGORZATA STRZAŁKOWSKA

„Osa"

Koło nosa basa
bosa osa hasa,
hasa osa koło nosa,
na nos basa łasa.

15 🎧 250 → 61

„Pszczoła"

Przy lesie w ulu żyła pszczoła mała
Co latać do szkoły wcale nie chciała.
O lodach, łąkach tylko by marzyła,
A z liczb, liter, całek ledwie nie kpiła.

16 🎧 251 → 78

MAŁGORZATA STRZAŁKOWSKA

„Szczeniak"

W gąszczu szczawiu we Wrzeszczu
klaszczą kleszcze na deszczu,
szczeka szczeniak w Szczuczynie,
szepcze szczygieł w szczelinie,
piszczy pszczoła pod Pszczyną,
świszcze świerszcz pod leszczyną,
a trzy pliszki i liszka
taszczą płaszcze w Szypliszkach.

17 🎧 252 → 73

IWONA STEMPEK

„Żabka"

Była sobie żabka mała
Żabka małą zebrę znała
Zebra żebra połamała
Żabka zebrę pocieszała
Żabka z zebrą żyły dobrze
Życząc zdrowia starej kobrze.

B

·01

7 kon-takt → dia-log → uniwer-sytet → prezen-tacja → tele-wizja → ro-bot → bal-kon → kot-let → lam-pa → te-atr → kompu-ter → perfu-mować → para-doks → toa-leta → kata-strofa → pro-blem

8 1. b; 2. a; 3. a; 4. d; 5. c; 6. c; 7. c; 8. d; 9. b; 10. a; 11. c

·02

2 1. miau; 2. hau-hau; 3. muuu; 4. beee; 5. meee; 6. ku-ku; 7. gę-gę; 8. hu-hu; 9. ho-ho-ho; 10. tik-tak; 11. puk-puk; 12. pif-paf; 13. hop-hop; 14. hip-hip (hura); 15. pik-pik; 16. ee-oo, ee-o

4 1. chrum-chrum; 2. kukuryku; 3. kle-kle; 4. gruchu-gruchu; 5. kra-kra; 6. brum-brum; 7. wrrrr; 8. mrrrr; 9. brrrr; 10. gul-gul; 11. kum-kum; 12. wwww; 13. kap-kap; 14. buch-buch; 14. pstryk; 15. tap-tap

6 1. bzzz; 2. ćwir-ćwir; 3. ssss; 4. cip-cip; 5. ciuch-ciuch; 6. dzyń-dzyń; 7. cyk-cyk; 8. ciach-ciach; 9. apsik!; 10. bęc; 11. szszszsz; 12. szuru-buru; 13. taś-taś; 14. żżżżż

·03

1 1. Warszawa; 2. Łódź; 3. Gdańsk; 4. Kraków; 5. Wrocław; 6. Katowice; 7. Opole; 8. Poznań; 9. Toruń; 10. Olsztyn; 11. Częstochowa; 12. Lublin; 13. Kielce; 14. Rzeszów; 15. Białystok; 16. Szczecin; 17. Bydgoszcz; 18. Gorzów Wielkopolski; 19. Zielona Góra

2 A Warszawa; B Poznań; C Gdańsk; D Wrocław; E Łódź; F Białystok; G Zielona Góra; H Toruń; I Lublin; J Kielce; K Szczecin; L Katowice; M Bydgoszcz; N Gorzów Wielkopolski; O Kraków; P Opole; R Olsztyn; S Rzeszów; T Częstochowa

4 1. Mińsk; 2. Zagrzeb; 3. Nikozja; 4. Paryż; 5. Madryt; 6. Skopje; 7. Kiszyniów; 8. Warszawa; 9. Lizbona; 10. Moskwa; 11. Bukareszt; 12. Bratysława; 13. Berno; 14. Sztokholm; 15. Kijów; 16. Budapeszt; 17. Rzym

7 1. Agnieszka; 2. Andrzej; 3. Anna; 4. Bożena; 5. Czesława; 6. Elżbieta; 7. Ewa; 8. Jerzy; 9. Julia; 10. Katarzyna; 11. Krzysztof; 12. Leszek; 13. Łucja; 14. Łukasz; 15. Maciek; 16. Małgorzata; 17. Mateusz; 18. Michał; 19. Patrycja; 20. Rafał; 21. Władysław

8 MUZYKA: a Penderecki, b Trzetrzelewska, c Szopen, d Górecki, FILM: a Kieślowski, b Wajda, c Polański, HISTORIA: a Sobieski, b Paweł II, c Kościuszko, d Wałęsa, LITERATURA: a Szymborska, b Lem, c Miłosz, d Tokarczuk; SPORT: a Lewandowski, b Radwańska, c Stoch; NAUKA: a Curie-Skłodowska, b Kopernik, c Łukasiewicz, d Banach

·04

1 B 1. okno; 2. Małogoszczy; 3. sztych; 4. książek; 5. panna; 6. słoik; 7. mają; 8. kara; 9. chał; 10. ciał; 11. ssak; 12. szyfr; 13. żakiet; 14. Anna

2 B 1. dreszcz; 2. sennik; 3. siennik; 4. wanien; 5. talia; 6. Halina; 7. kasa; 8. wieś; 9. leczyć; 10. gestem; 11. czarny; 12. wszak; 13. zbyt; 14. płacze

3 B 1. szyny; 2. cenny; 3. cyna; 4. szyba; 5. szklankach; 6. szary; 7. maczek; 8. kurka; 9. cała; 10. czyta; 11. czynnik; 12. ciarki; 13. być; 14. wyć; 15. bić; 16. żelka

·05

1 0 – cieć; 1 – sieć; 2 – trzeć; 3 – drzeć; 4 – drżeć; 5 – cześć; 6 – sześć; 7 – szczęść; 8 – żeć; 9 – zięć

2 1. 182 (bo: 1 – sieć, 8 – żeć, 2 – trzeć); 2. 997; 3. 657; 4. 343; 5. 621; 6. 071; 7. 282; 8. 543

3 1. żeć, zięć, sześć; 2. sieć, cieć, szczęść; 3. drżeć, drzeć, trzeć; 4. sześć, szczęść, zięć; 5. trzeć, żeć, drżeć; 6. cześć, drzeć, sześć; 7. szczęść, sieć, cieć; 8. cieć, żeć, drzeć

6 A B → 1; CH → 4; CZ → 10; Ć → 8; PSZ → 5; R → 3; SZ → 9; SZCZ → 7; Ź → 6; Ż → 2 | B ODPOWIEDZI PRZYKŁADOWE: B – buła, bibuła; CH – chochoł, chleb; CZ – czoło, cześć; Ć – ćma, ćwiek; PSZ – pszczoła, pszenica; R – rurka, robot; SZ – szal, sześć; SZCZ – szczebel, szczelina; Ź – źrebak, źródło; Ż – żarówka, żaba

8 B bibuła; Baobab; baba; żądło; żarówka; żyrafa; żaba; rurka; rewolwer; rabarbar; robot; chochoł; chałupa; chleb; Chechło;

chrobot; pszczoła; pszczołojad; Pszczyna; pszenica; źrebak; ździebełko; źródło; źrenica; szczelina; szczebiot; szczekanie; Ćmielów; ćma; ćwikła; ćwiek; ćwierkanie; szal; szafa; szyszka; szewc; szeryf; sześć; czub; czoło; Czesław; czyżyk; cześć

· 06

1 NAUCZYCIELKA (N): przeczytać; UWE: szare, czerwony; N: Dziękuję; MAMI: ciotka, siwe; N: dobrze; MARIA: Widziałem, zimowe; N: przeczytaj; TOM (T): Szwecji; T: cóż; N: bardzo; MANUELA: Prasować, Pracować

C

· 01

1 ak-cent, sy-la-ba, ho-tel, kom-pu-ter, Bar-ba-ra, ka-tar, au-to-bus, ge-o-gra-fia, his-to-ria, ga-raż, fan-tas-tycz-nie, la-bo--ra-to-rium, res-tau-ra-cja, au-to-bio-gra--fia, in-te-re-su-ją-cy, in-ter-na-cjo-na-lizm

2 A B **1.** mu-zy-ka, ma-te-ma-ty-ka, **2.** roz-ma-wia-łyś-my, pi-sa-liś-cie, **3.** u-ni-wer--sy-tet, ry-zy-ko, **4.** wie-dzia-ła-bym, wy-gra-li-by, **5.** sie-dem-set, pię-ciu-set, **6.** zro-bi-li-byś-my, od-po-wie-dzie-li-byś--cie, **7.** U-S-A, O-N-Z, **8.** eks-mąż, su-per--mecz, **9.** ex-po-sé, me-nu, **10.** o-jej!, a-hoj!

3 A B mi-ni-mum → 3, tour-née → 9, a-psik! → 10, P-T-T-K → 7, pu-rée → 9, sześ-ciu-set → 5, dzie-więć-set → 5, lo-gi-ka → 1, in-for--ma-ty-ka → 1, P-K-P → 7, kin-der-bal → 8, fo-yer → 9, pre-zy-dent → 3, w o-gó-le → *, rzecz-pos-po-li-ta → 3, wi-ce-mistrz → 8, wie-dział-bym → 4, ma-te-ma-tykiem → 1, ko-mi-tet → 3, a-pé-ri-tif → 9, a-te-lier → 9, o-ko-li-ca → *, mó-wił-by → 4, prze-czy-ta-ły-byś-my → 6
* Wyrazy rodzime, które zwyczajowo akcentuje się na trzeciej sylabie od końca (wyjątki), dopuszczalny jest też akcent na drugiej sylabie od końca.

4 A **1.** Wiem, że nic nie wiem. **2.** Nic dwa razy się nie zdarza/I nie zdarzy. Z tej przyczyny/Zrodziliśmy się bez wprawy/I pomrzemy bez rutyny.; **3.** Życie jest jak pudełko czekoladek – nigdy nie wiesz, co ci się trafi.; **4.** Kiedy łamiesz zasady, łam je mocno i na dobre. **5.** Lepiej bez celu iść naprzód niż bez celu stać w miejscu, a z pewnością o niebo lepiej, niż bez celu się cofać.; **6.** Zwierzęta w ogrodzie patrzyły to na świnię, to na człowieka, potem znów na

świnię i na człowieka, ale nikt już nie mógł się połapać, kto jest kim.; **7.** Jeśli możesz żyć wiecznie, to musisz wiedzieć po co żyjesz.; **8.** Człowiek naraża się na łzy, gdy raz pozwoli się oswoić.; **9.** Co ma być to będzie, a jak już będzie to trzeba się z tym zmierzyć – powiedział Hagrid. | B **1.** że, nic, wiem; **2.** dwa, się, nie, i, z, tej, bez, i, bez; **3.** jest jak, wiesz, ci się; **4.** je, i, na; **5.** bez, iść, niż, bez, stać, w, a, z, o, niż, bez, się; **6.** w, na, na, na, na, już, mógł, się, jest; **7.** żyć, to, co; **8.** się, na, gdy, się; **9.** ma, to, a, już, to, się, z, tym

· 02

2 E → 1, 5, 7; Y → 2, 6, 8, 9, 10; I → 3, 4

3 TAKIE SAME: 2, 5, 7; RÓŻNE: 1, 3, 4, 6, 8, 9, 10

5 **1.** trzy; **2.** cztery; **3.** sześć; **4.** zeszyt; **5.** jaki; **6.** stary; **7.** nowy; **8.** przeliterować; **9.** przeczytać; **10.** dobrze; **11.** szary; **12.** gdzie; **13.** krzesło; **14.** uczysz; **15.** wiecie; **16.** ćwiczenie; **17.** wszystko; **18.** ciebie; **19.** słychać; **20.** dziewczyna; **21.** nauczycielka; **22.** siedemnaście

6 **a** bisy; **b** wyże; **c** beczy; **d** pyzie; **e** bici; **f** mity; **g** przeszły; **h** przyszyte

7 **a** 2 → 1 → 3 → 4; **b** 4 → 1 → 2 → 3; **c** 4 → 2 → 1 → 3; **d** 4 → 3 → 1 → 2; **e** 4 → 2 → 3 → 1; **f** 4 → 3 → 2 → 1; **g** 2 → 1 → 4 → 3; **h** 2 → 3 → 1 → 4

8 4 → 8 → 1 → 3 → 5 → 9 → 7 → 6 → 12 → 10 → 11 → 2

9 chyżo; być; Brygida; jej; Były; Dyszeli; miechy; pięty; zmęczyli; ileż; uciechy; gdyby; przybyli; Wieńce; jeszcze; czekałyby; przecie; Lecz; Dzisiejszy; mistrzem; Wstyd; chce; ech; trzem

· 03

3 **ą:** są, ładną, wąski, książka, brązowy; **o:** wziął, przyjął, zacząłem; **om:** gołąbki, ząb; **on:** oglądasz, interesujący, pieniądze, piątek, gorączka; **oń:** odopczcz, bądźmy, wyjąć; **oŋ:** pstrąg, pociąg, mąka

5 **ę:** mięso, język, mężczyzna, ciężki, mięśnie; **e:** uczę się, zamknęłyśmy, w niedzielę, wzięli; **em:** następnie, zęby; **en:** zajęty, zmęczony, urzędnik, spędzać; **eń:** dziewięć, zdjęcia, będzie; **eŋ:** ręka, tęgi, piękna

6 **1.** e; **2.** ą; **3.** eŋ/oŋ; **4.** eń/oń; **5.** em/om; **6.** e/o; **7.** en/on; **8.** ę/ą

8 5 → 3 → 2 → 1 → 4 → 6

9 bąk; strąk; strąk; pąk; pąk; strąk; bąk; zląkł

10 **1.** strąk [stroŋk]; **2.** pąk [poŋk]; **3.** dzięcioł [dzieńcioł]; **4.** bąk [boŋk]

1 ODPOWIEDZI PRZYKŁADOWE: Belgia, Bydgoszcz, Bożena, Barański, banan, biały, biega; Wietnam, Warszawa, Wiktor, Włodarski, widelec, widzi

2 ODPOWIEDZI PRZYKŁADOWE: bank, but, brązowy, brzydki, brzoskwinia; wtorek, woda, wiek, ważny, wiedzieć

3 *B* **a** oba; **b** bary; **c** wozie; **d** zbierze; **e** wrodzą; **f** kawały; **g** biały; **h** biedzą; **i** Rabie; **j** wryli; **k** pawie

4 **a** bawi; **b** wezbrały; **c** wywieje; **d** zbawiony; **e** brawa; **f** brwi; **g** wyrwa; **h** zabarwić; **i** wyrąbie; **j** powabny; **k** babcia; **l** zwabią; **m** obawia; **n** wybielony; **o** powiewają; **p** wybrzmiewać; **r** wbrew

5 siwa, prawy, wiedzie; zwyczajom, biedzie; Bo, Baśce, kabałę; burzy, wyżła; Wył, by, drzwi; we, baba; obelgi, wyzwiska, wzburzenia; więc, winna, zbawienia

3 ODPOWIEDZI PRZYKŁADOWE: Rosja, Radom, Radek, Romaniuk, rower, radosny, robi; Litwa, Lublin, Lucyna, Lewandowski, lustro, lekki, leży

4 *A* **1.** lew; **2.** rak; **3.** ryba; **4.** rower; **5.** lody; **6.** rekin; **7.** lizak; **8.** leki; **9.** lupa; **10.** robak; **11.** rura; **12.** laska

5 *B* **a** lak; **b** rokiem; **c** fula; **d** lęki; **e** kran; **f** lama; **g** laba; **h** reszka; **i** fara; **j** lira; **k** lura; **l** para; **m** belka

6 **a** kolor; **b** rolnik; **c** kelner; **d** relacja; **e** rabarbar; **f** skręcić w lewo; **g** rolki; **h** larum; **i** lalka; **j** królik; **k** ukradli; **l** kartofle; **m** kropla; **n** polarny; **o** rulon; **p** wygrali; **r** krok po kroku

7 R→15; L→15

8 kranu; kroplą; bruk; pranie; fortepianie

9 tuli, Lula, Lula, hula, tuli, pan, Luli, fan

10 Turlał, Urlach, kolorowe, góral, na tarce, Urlach, tarł, turlał, było

3 PAŃSTWO: Luksemburg, Litwa, Łotwa; MIASTO: Leżajsk, Lublin, Łódź, Łeba; IMIĘ: Lech, Lidia, Łukasz, Łucja; NAZWISKO: Lewandowski, Linda, Łukasiewicz, Łazuka; RZECZ: lustro, lalka, łóżko, ładowarka; PRZYMIOTNIK: lekki, liliowy, łysy, łaciaty; CZYNNOŚĆ: leci, liczy, łyka, łapie

4 *B* **a** lata; **b** lęgi; **c** koła; **d** opału; **e** pół; **f** łosie; **g** tyłu; **h** bula; **i** lala; **j** luzie; **k** laska;

l łamy; ł ława

5 **1.** Polały się łzy na głupie lata młode.; **2.** Orły latały, bo tak wolały, gołębie uciekały.; **3.** Łaciata Mila łasiła się do kolan, ilekroć ją po łapie głaskali.; **4.** Hałaśliwy maluch lizał gałkę lodów waniliowych.; **5.** Układali ołówki na szkolnej półce, walcząc stale z bałaganem.; **6.** Ileż się biedził i trudził nad łamigłówką dla małych chłopców.

5 Przy lesie w ulu żyła pszczoła mała | Co latać do szkoły wcale nie chciała. | O lodach, łąkach tylko by marzyła, | A z liczb, liter, całek ledwie nie kpiła.

1 **1.** wąsy; **2.** łabędź; **3.** łokieć; **4.** łazienka; **5.** walizka; **6.** łańcuch; **7.** wędka; **8.** wanna; **9.** waga; **10.** łoś; **11.** łódka; **12.** wódka

2 *B* **a** wóz; **b** łyka; **c** brało; **d** łut; **e** wada; **f** łacha; **g** skrywa; **h** kiwa; **i** obmyła; **j** połap; **k** pewny; **l** woły; **m** muł; **n** wałek

3 „Opowieść o Wacławie". Wielbłąd Wacław był złym pływakiem. Nawet z płetwami nie było mu łatwo, więc kupił nową łódkę i postanowił trenować żeglarstwo. Pewnego razu płynął wzdłuż Wisły, wesoły bardzo, bo właśnie złowił łososia. Niespodziewanie zaczął wiać wściekły wiatr i porwał płótno na wąskie kawałki.

4 wiosła, łódka, walczył, pływać, wałów, Włoszech, Słowenię

1 *B* **a** za; **b** dłuższy; **c** lekki; **d** pana; **e** ceny; **f** wanna; **g** winy; **h** korony; **i** węższy; **j** fiolety; **k** poddać; **l** bessa; **m** gościnny

2 miękki; przestronny; oddychać; powinnyśmy; przeciwwskazania; dziennikarz; konno; samoobsługowy; bez skutku; inny; codziennie; Zorro; lobbing; hossa

3 **1.** ~~gościny~~ → gościnny; **2.** ~~dzieny~~ → dzienny, ~~iny~~ → inny; **3.** ~~Mięka~~ → Miękka, ~~cena~~ → cenna, ~~wana~~ → wanna; **4.** ~~odech~~ → oddech, ~~pana~~ → panna, ~~Ana~~ → Anna; **5.** ~~Łoby~~ → Lobby, ~~przestronny~~ → przestronny; **6.** ~~kony~~ → konny

2 *A B* **S** → 4 – Sadkowski, 16 – Sępowski; **Z** → 1 – Zawada, 11 – Zych; **C** → 2 – Capiga, 14 – Cyran; **DZ** → 6 – Dzwon, 15 – Dzbanik; **Ś/SI** → 3 – Sikora, 10 – Sielawa; **Ź/ZI** → 8 – Zielonka, 12 – Ziobro; **Ć/CI** → 7 – Cichy, 13

– Ciołek; **DŹ/DZI** → 5 – Dziuba, 9 – Dziwosz

③ *B* **a** kasa; **b** kicia; **c** zmazie; **d** basu; **e** wodzi; **f** sanie; **g** cała; **h** jadzie; **i** łuzie; **j** gaz

④ źrebak, dźwig, ćma, śpiewa, oślę, woźny, jedźmy, źródło, miś, łapać

⑤ ziemia, ciało, siódmy, zioła, dziennik, pociąg, zięba, dziura, silny, dziwny

⑥ 4. źrebak, dźwig, ćma, śpiewa, oślę, woźny, jedźmy, źródło; 5. ziemia, ciało, siódmy, zioła, dziennik, pociąg, zięba, dziura; spółgłoski, samogłoski

⑦ ś, ź, ć, dź – piszemy przed spółgłoskami, np. *źrebak, dźwig*; – piszemy na końcu wyrazu, np. *miś, łapać*; **si, zi, ci, dzi** – piszemy przed samogłoskami, np. *ziemia, ciało*; – piszemy, jeśli „i" tworzy sylabę, np. *silny, dziwny*

⑧ 1. 9 → 1 → 6 → 4 → 2 → 8 → 5 → 7 → 3 (Lepiej śledzia zjeść pięć ości niżli dwie niedziele pościć.); 2. 4 → 8 → 7 → 1 → 5 → 9 → 2 → 3 → 6 (Lepiej gnać na ślepym ośle niżli mówić o tym pośle.); 3. 8 → 2 → 6 → 3 → 5 → 7 → 4 → 1 (Lepiej świekrę mieć złośliwą niżli łodzie myć oliwą.); 5. 5 → 2 → 1 → 7 → 3 → 6 → 4 (Lepiej w styczniu śnieżna zima niżli późna koniczyna.)

· 10 ....

② *B* **a** gaża; **b** szoku; **c** radzę; **d** szale; **e** tacka; **f** łżą; **g** dzyń; **h** wylecą; **i** żebrała; **j** wypisz

③ 1i; 2e; 3f; 4a; 5m; 6c; 7b; 8n; 9g; 10d; 11l; 12j; 13h; 14k

④ „Czyżyk". Czesał czyżyk czarny koczek, czyszcząc w koczku każdy loczek, po czym przykrył koczek toczkiem, lecz część loczków wyszła boczkiem.

⑤ 1. 7 → 5 → 1 → 2 → 8 → 3 → 4 → 6 (Lepsze szarlatana czary niż ten sznycel w sosie szarym.); 2. 2 → 1 → 6 → 5 → 3 → 8 → 7 → 4 (Lepsze w łóżku cztery jeże niż z kaczuszki w kołdrze pierze.); 3. 3 → 6 → 7 → 4 → 2 → 9 → 1 → 8 → 5 (Lepszy szosą marsz zbyt szybki niż w koszyku grzybek brzydki.); 4. 3 → 1 → 7 → 2 → 6 → 5 → 4 (Lepszy groszek na talerzu niż bażanty wciąż w spichlerzu.); 5. 8 → 3 → 4 → 2 → 6 → 5 → 1 → 7 (Lepsza kasza jest gryczana niż żeberek miska z rana.)

· 11 ....

① 1 → 1, 5, 13, 14; 2 → 3, 6, 10, 11, 12; 3 → 2, 4, 7, 8, 9, 15

② 1 → 2, 5, 6, 13; 2 → 1, 9, 12; 3 → 7, 8, 11, 14; 4 → 3, 4, 10, 15

④ *B* **a** Kasia; **b** wozie; **c** Baśka; **d** paczę; **e** gaże; **f** mazie; **g** dżul; **h** zaciąć; **i** czeki; **j** opaszę

⑤ **a** kasza; **b** gazie; **c** szura; **d** kic; **e** ryż; **f** dozie; **g** czeku; **h** bies; **i** ciszy; **j** kosi; **k** syk; **l** szadź; **m** leć

⑥ **a** cześć; **b** sześć; **c** dziewięć; **d** dziesięć; **e** przepraszam; **f** przeczytać; **g** ćwiczenie; **h** wszystko; **i** nazywacie się; **j** trzynaście; **k** czternaście; **l** dwadzieścia; **m** uczysz się; **n** książka; **o** zeszyt; **p** nauczycielka; **r** cieszę się; **s** kończysz; **t** trzydzieści; **u** czterdzieści; **w** pracować

⑦ Koło → nosa → basa → bosa → osa → hasa; hasa → osa → koło → nosa → na nos → basa → łasa

· 12 ....

① **a** na piętrze; **b** pieprz; **c** przepyszny; **d** wieprzowy; **e** sprzątać; **f** przeprowadzić się; **g** skrzyżowanie; **h** przystanek; **i** burmistrz; **j** skrzynka; **k** pojutrze; **l** trzeba; **m** skrzypce; **n** przeszły; **o** przypadek; **p** chrząszcz

② **a** brzydki; **b** brzoskwinia; **c** grzyb; **d** dobrze; **e** brzmieć; **f** drzewo; **g** zgrzewka; **h** wrzesień; **i** andrzejki; **j** bruch; **k** grzeczny; **l** Biebrza; **m** zagrzać się; **n** drzwi; **o** zrzekać się; **p** Grzegorz

③ 1. trzecia; 2. patrzcie; 3. grzeszny; 4. wrzask; 5. zrzędzić; 6. otrzymać; 7. brzoza; 8. krzesło; 9. mądrze; 10. przodek; 11. Węgrzy; 12. chrzest; 13. wietrze; 14. podrze; 15. krzewy

④ trzeć (bezdźwięcznie) – drzeć (dźwięcznie); trzeba (b) – drzewa (d); drzazg (d) – trzask (b); pogrzebie (d) – pokrzepię (b); zagrzewać (d) – zakrzewiać (b); trzymał (b) – drzemał (d); grzywa (d) – krzywa (b); skrzypieć (b) – zgrzybieć (d); zgrzeszę (d) – skrzeszę (b); bobrze (d) – poprze (b); pieprzy (b) – Biebrzy (d)

⑤ Chrząszcz; Trzynastego, Szczebrzeszynie; Chrząszcz, trzcinie; wrzask, szczebrzeszynianie; trzeba; brzmieć, chrząszcz; Szczebrzeszyn; chrząszcz, BRZMI, trzcinie; chrząszcz, odrzekł; przyszedł; Drzewiej, chrząszcze, trzcinach, brzmiały

⑥ 1. 1 → 4 → 3 → 2; 2. 2 → 1 → 4 → 3; 3. 4 → 2 → 3 → 1; 4. 2 → 1 → 4 → 3

· 13 ....

③ 1. jeszcze; 2. szczotka; 3. cześć; 4. wejście; 5. tłuszcz; 6. szczegóły; 7. nieść; 8. goście; 9. z przyjemnością; 10. jedenaście; 11. pomieszczenie; 12. ściemniać się

· 125

④ **1**→1, 11, 12; **2**→2, 5, 7, 13; **3**→4, 9, 14; **4**→3, 15; **5**→6, 8, 10

⑤ **1**→szczotka, mężczyzna, barszcz; **2**→teściowa, ściana, kilkanaście, kłaść; **3**→wreszcie, nareszcie, cieszcie się; **4**→gwiżdżę, jeżdżą; **5**→październik, gwieździe, jeździć

⑦ **a** Pszczyna; **b** jedźcie; **c** szczeka; **d** puśćcie; **e** tłuczże; **f** pszczółka; **g** szczera; **h** gładźcie; **i** jeździe; **j** weźże; **k** tłuszcz; **l** chuście; **m** gwiżdże; **n** pościelił; **o** strzępiony

⑧ 7→4→1→8→6→2→5→3

⑨ **1.** gwóźdź; **2.** liść; **3.** kiść; **4.** noś; **5.** sieć; **6.** kość; **7.** nać; **8.** maść

D

·01

① **1.** duży segregator; **2.** polska szkoła; **3.** biały kubek; **4.** brązowy ołówek; **5.** stary klucz **6.** fioletowy stół; **7.** modna torba; **8.** dobra płyta; **9.** zły słownik

② **1.** książka; **2.** krzesło; **3.** zeszyt; **4.** długopis; **5.** nauczyciel; **6.** paszport; **7.** szary; **8.** czarny; **9.** pomarańczowy; **10.** zielony; **11.** żółty; **12.** różowy

③ JAVIER (J): Cześć, słychać; MAMI (M): dobrze, dobrze, imię; J: hiszpańsku; J: słownik, polsko-hiszpański, Stary, duży, dobry; M: słownik, polsko-japoński, Nowy, dobry; J: Dlaczego, zły; M: mały, mały

·02

① JAKI? **s:** czysty, sfrustrowany, niski, smutny, wysoki, wysportowany, stary; **z:** zdrowy; **c:** atrakcyjny, pracowity; **sz/rz:** szczupły; **ż/rz:** brzydki; **cz:** czysty, energiczny, szczupły | KTO? **s:** dentystka, minister; **z:** muzyk, prezydent; **c:** kierowca; policjantka; **sz/rz:** kucharz, lekarz, malarz, dziennikarz; **ż/rz:** urzędnik, inżynier; **cz:** nauczyciel, rolniczka

④ przerwa, korytarzu; ANGELA (A): Wiecie; lektorka; A: Myślę, miła; MAMI: miła, pewno, atrakcyjna; JAVIER: pamiętam; A: koleżanka; koleżanka, sympatyczna

·03

① *B* **1.** tańczysz; **2.** słuchasz; **3.** podróżujesz; **4.** pływacie; **5.** chodzicie; **6.** oglądasz; **7.** jeździć; **8.** cieszycie się

② **1.** włoskiego, szwedzkiego; **2.** do Kęt, do Elbląga; **3.** na siłownię, na pocztę; **4.** mięso, rybę; **5.** węglem, farbą; **6.** z kolegą,

---

z nauczycielką; **7.** książkę, pamiętnik; **8.** zdjęcia, listę zakupów; **9.** chętnie, pięknie; **10.** z Marsa, z Wenus

③ MARISA (M): Lubisz, uprawiać; JONATAN (J): pływam, jeżdżę, rowerze; M: biegać, jeździć; J: Jeździsz, naprawdę

④ TOM (T): Co robicie?; MAMI (M): My? Rozmawiamy i oglądamy zdjęcia.; T: O, fajna fotografia. Kto to jest?; ANGELA (A): To moja mama i ja w Wenecji.; T: To ty siedzisz tutaj?; A: Tak, to ja.; M: Lubisz zwiedzać nowe miejsca?; A: Bardzo. Lubię zwiedzać i podróżować.

⑤ UWE (U): Tom, ~~czy~~ jesteś zajęty?; TOM (T): Trochę. A dlaczego pytasz?; U: Czy masz czas ~~żeby grać~~ [→ żeby dziś grać] w piłkę?; T: W piłkę nożną?; U: Nie, w ~~kosza~~ [→ koszykówkę].; T: ~~Świetny~~ [→ To świetny] pomysł, bardzo ~~lubię koszykówkę~~ [→ lubię grać w koszykówkę].

·04

① *B* **1.** jedzenie; **2.** smacznego; **3.** szynka; **4.** –; **5.** sera; **6.** przepyszny; **7.** jeść; **8.** piją; **9.** kasza; **10.** surówka; **11.** z pieprzem; **12.** dżemy; **13.** bułka; **14.** gorzki; **15.** chleb; **16.** ryż; **17.** warzywa

② UWE (U): ciebie; ANGELA: serem, szynką, sosem; U: was; MAMI: serem, szynki, jeszcze ze szczypiorkiem; JAVIER: Ja z kawałkami, kukurydzą; U: brzmi

③ *A* 1c; 2f; 3h; 4a; 5i; 6b; 7l; 8g; 9k; 10e; 11j; 12d

④ KLIENTKA: wolny, stolik; KELNER: dla; KLIENTKA: barszcz, krokietem, drugie, wołowy, frytkami; KLIENT: Dla, rosół, makaronem, kotlet, mielony, kluskami, śląskimi, surówki; KELNER: surówkę, selera, marchewkę, jabłkiem, mizerię; KLIENTKA: herbatę, mrożoną; KLIENT: dla, lemoniada, cytrynowa | KELNER: deser; KLIENT: rurkę, kremem; KELNER: polecam, lody, włoskie, tradycyjne; KLIENT: dla, porcja, włoskich, polewą, czekoladową; KLIENTKA: poproszę, szarlotkę | KLIENTKA: rachunek; KELNER: czterdzieści, złotych; KLIENTKA: zapłacić, kartą

⑤ *B* NA ŚNIADANIE: jajecznica, chuda szynka, żółty ser, grzanka z dżemem; NA SAŁATKĘ: rzodkiewka, czosnek, jabłka, brzoskwinia, pietruszka, wiśnie; NA OBIAD: kotlet schabowy, cielęcina, barszcz z uszkami, żeberka wieprzowe, pstrąg pieczony, zapiekanka ze szczypiorkiem, kasza gryczana, warzywa na parze; NA DESER: drożdżówka, ciastka,

coś słodkiego, suszone owoce, czekolada
z orzechami

⑥ koszyku; zakupami; warzywa; dojrzałe;
czerwone; zielone; trzy; robić; koszyku; też;
średnie; ziemniaki; bardzo; pomarańcze;
dziś; arbuza; Koszyk; zakupami; bardzo;
ciężki; chce; jeszcze; kupić; gruszki; robić;
zakupy; Dobrze; sympatycznym; koszyk;
bardzo; ciężki; jeszcze; gruszki; truskawki;
bardzo; smaczne; zadowolona; dziękuje;
zaprasza

·05

① rodzina; mąż; babcia; małżeństwo; ojciec;
rodzeństwo; przyjaciółka; żonaty; mężczyzna;
dziadkowie; siostra; ciocia; teść; rodzice;
dziewczyna; mężatka; rozwiedziona;
wnuczka; teściowa; bliźniaki; siostrzeniec;
narzeczona; szwagier; zięć

② ś/si: teściowa, siostra, siostrzeniec;
ź/zi: bliźniaki, zięć; ć/ci: babcia, ojciec,
przyjaciółka, teściowa, ciocia, dzieci, zięć;
dź/dzi: rodzina, dziadkowie, dzieci, rodzice,
dziewczyna, rozwiedziona; sz (rz/ż): mąż,
przyjaciółka, mężczyzna, siostrzeniec,
szwagier; ż/rz: małżeństwo, żonaty,
mężatka, narzeczona; cz: mężczyzna,
dziewczyna, wnuczka; dz: rodzeństwo

④ MAŁŻEŃSTWO; mężatką; mąż; architek-
tem; Niestety; ponieważ; koncentruje;
pracy; sama; zajmować; dziećmi; szczęśliwa;
myśli; sytuacja; pracować; cały; myśli;
inaczej; pracować; kariery; rodziny; znaczy;
znaczy; pracują; zajmują; dziećmi

⑤ 3→1→8→6→2→9→5→4→7

⑥ 1. Dziadek Dzidek; 2. Siostra Stasia; 3. Brat
Bartek; 4. Córka Cecylka; 5. Mój teść;
6. Wujek Wojtek; 7. Ciocia Olcia; 8. Mój
mąż; 9. Syn Sebastian; 10. Zięć Ziemowit;
11. Babcia Beacia.

⑦ 1. Średnich; 2. Śleszyńska; 3. kosmetyczny;
4. Andrzej; 5. zamężna; 6. Radek;
7. korporacji; 8. ekscentryczny; 9. mechanik

⑧ 1. inżynierem; 2. jeszcze; 3. jeszcze; 4. ✓;
5. zawsze; 6. dwoje; 7. Zuzia; 8. ✓; 9. często;
10. ✓; 11. tylko; 12. na to; 13. ✓; 14. z nią,
mała; 15. ✓; 16. ich; 17. ✓; 18. swoją; 19. teść;
20. ✓; 21. też; 22. wtedy; 23. mówi; 24. ✓;
25. ✓; 26. dużo

·06

① A 1f; 2e; 3c; 4a; 5g; 6b; 7d

② A 1. Wycieczka pociągiem do Wieliczki
zaczyna się w czwartek wieczorem.;
2. Chcecie pójść na spacer czy wyjść do
miasta wcześniej?; 3. Czemu przychodzisz
zawsze przed pierwszą?; 4. Cudzoziemiec
długo dzwonił do niemieckiej agencji.;
5. Cieszę się, że szczotką się czeszesz.;
6. Przedstawienie „Trzech przodków" jest
trzynastego o trzynastej trzydzieści.; 7. Po
spektaklu kolacja w klubie retro tylko dla
kawalerów.; 8. Niezły pomysł: pływanie po
długim wykładzie Wiesława.

③ JACEK (J): Cześć, ciebie; AGA (A): Jacek, dzwonisz,
słychać; J: Chcesz, iść; zaproszenie, chętnie;
J: świetnie, spotykamy; A: Dziś, południu,
Może; J: Tradycyjnie, Adasiem; A: Oczywiście,
Jeszcze, zaproszenie, zobaczenia

④ JAREK (J): co, Jesteście; MARCIN (M): wszystko,
ciebie; J: ochotę, Wajdy; M: dlaczego,
Wiesz, że; J: dziś; M: Spotykamy, przed;
J: zarezerwować, bilety; M: Dobrze

⑤ Magda; 7:30; dzieci; Anię; Mateusza; ubiera
się; wraca; często; 14:00; idą; Piotrek;
pracuje; Jedzą; następnie; szachy

·07

① A POJAZDY: 2, 7, 8; OBIEKTY W MIEŚCIE: 1, 4, 6,
11; LOKALIZACJA: 3, 5, 9, 10, 12

② A dojechać, na wprost, strony, księgowa;
B Bagatyła, dzieje, pójść, ochotę,
Krupnickiej

③ A 1. kościół; 2. przystanek; 3. skrzyżowanie;
4. fryzjer; 5. dworzec; 6. poczta; 7. kwiaciarnia;
8. ratusz; 9. wieża; 10. szpital

⑤ A 1. Pałac, Łazienki, Syreny, Starówka;
2. Barbakan, Wawel, Sukiennice, Kościół,
Smocza; 3. Ostrów, Ratusz, budnicze,
Cesarski, Fara; 4. Długi, Dwór, Fontanna,
Żuraw, Brama; 5. Stulecia, Ratusz, Iglica,
Tumski, Afrykarium | B 1 → Warszawa,
2 → Kraków, 3 → Poznań, 4 → Gdańsk,
5 → Wrocław

⑥ pomnik; król; zamek, Wandę; głodny; Jadł,
najbardziej, dziewczyny; królewna, Wanda;
Król, zabije, królestwa, królewnę; rycerzy,
przyjechało, zabił; mieście, szewc; Dratewka;
pomysł, owcę, zabić, środka, siarkę;
przetransportował, owcę; owcę; Siarka,
środku; rzeka; rzeki

·08

① 1. kawałek; 2. pudełko; 3. plasterek;
4. tabliczka; 5. kilkanaście; 6. ćwierć;
7. słoik; 8. zgrzewka; 9. bochenek

③ JOANNA (J): Karol!; KAROL (K): Tak mama?
[→ mamo]; J: Mam do siebie [→ ciebie]

prośbę, czy ~~może~~ [→ możesz] iść na zakupy?; K: Teraz? ~~Wołałabym~~ [→ Wołał-bym] nie.; J: Karol!; K: Mamo, jestem bardzo ~~zawzięty~~ [→ zajęty]. Naprawdę!; J: Karol!; K: Dobrze, dobrze. Już ~~idzie~~ [→ idę].

4 1. laska tłustej kiełbasy; 2. ćwierć kilo łososia; 3. 60 deka tuńczyka; 4. śledzie w śmietanie; 5. 5 kilo ziemniaków; 6. groszek mrożony; 7. kukurydza w puszce; 8. tabliczka gorzkiej czekolady; 9. 3 paczki paluszków; 10. brązowy cukier; 11. masło wiejskie; 12. płatki kukurydziane w miodzie

5 „SPOŻYWCZAK SZYMONA": 60 deka tuńczyka, groszek mrożony, paczka pączków z różą, tabliczka gorzkiej czekolady, puszka orzeszków, 3 paczki paluszków, uszka z grzybami; SUPERSAM „U CECYLII": laska tłustej kiełbasy, fasola na zupę, kukurydza w puszce, brązowy cukier, masło wiejskie; „BABCINE PYSZNOŚCI": ćwierć kilo łososia, śledzie w śmietanie, 5 kilo ziemniaków, płatki kukurydziane w miodzie

·09

1 ANGELA (A): słuchasz; MAMI (M): zimno; A: zimno, słuchasz, intensywnie; M: znasz, pory; A: ulubiona, część, wakacyjny; M: „Jesień", Szkoda, jesień, skończyła; A: Szkoda, wiosny, Jeszcze, zielono

2 B 1. zły; 2. świetnie; 3. ładne; 4. konkretnie; 5. intensywne; 6. smaczny; 7. mgliście; 8. pięknie; 9. słoneczne; 10. systematycznie; 11. ciekawe; 12. ostrożnie

3 1. luty; 2. marcu; 3. czerwcowa; 4. styczeń; 5. październy; 6. lipcowe; 7. wrzesień; 8. maj; 9. kwiecień; 10. listopada

4 mróz [s], śnieg [k], wtedy [f], chętnie [en], się [e], W [f], kwietniu [f], kwitną [f], pierwsze [f], kwiaty [f], Wszyscy [f], czekają [ą], miesiąc [on], coraz [s], częściej [ę], gorące [on], trzydzieści [sz], wrzesień [w], wtedy [f], wszystkie [f], znów [f], śnieg [k]

·10

1 A 1. szafę; 2. sofę; 3. łóżko; 4. szafkę; 5. lustro; 6. telewizor; 7. stół; 8. krzesła; 9. wieszak; 10. obraz; 11. zlew; 12. zmywarkę; 13. ubikację; 14. prysznic | B Anastazja Łęcka kupiła sofę, lustro, telewizor, stół, obraz, zlew, zmywarkę, ubikację. Szczepan Jarząbek kupił szafę, łóżko, szafkę, wieszak. Anastazja i Szczepan kupili krzesła i prysznic.

2 A 1. ubikacja, kamienica, ściana, budownic-two; 2. gabinet, piwnica, strych, kominek;

3. przedpokój, spiżarnia, garaż, mieszkanie; 4. współlokator, pralka, ciepłe, opłaty | B 1. ściana; 2. strych; 3. spiżarnia; 4. pralka

4 1. a [t]; b [d]; c [t]; d [t]; e [d]; f [d]; g [d]; h [t]; 2. a [f]; b [w]; c [w]; d [f]; e [f]; f [w]; g [f]; h [f]

5 1. a [z]; b [s]; c [z]; d [z]; e [s]; f [s]; 2. a [ż]; b [sz]; c [ż]; d [ż]; e [sz]; f [sz]

6 1. Częstochowa, Boczna; 2. Zamość, Cisowa; 3. Gdańsk, Radomska; 4. Rzeszowie, Wrzosowa; 5. Jana Długosza, Trzebini

7 A STUDENT (S): Dzień dobry, dzwonię w ~~prawie~~ [→ sprawie] mieszkania. Czy oferta jest jeszcze aktualna?; WŁAŚCICIELKA (W): Tak.; S: W jakiej ~~cynie~~ [→ cenie] jest to mieszkanie?; W: ~~915~~ [→ 950] złotych plus rachunki za światło i gaz.; S: Jak ~~tu-że~~ [→ duże] jest to mieszkanie?; W: Duży pokój z kuchnią i łazienką.; S: Czy jest ~~tu-meblowanie~~ [→ umeblowane]?; W: Tak, proszę ~~przejechać~~ [→ przyjechać] i zobaczyć.; S: ~~Czy~~ [→ Czym] tam można dojechać?; W: Tramwajem numer ~~14~~ [→ 13], pięć przystanków od centrum.; S: ~~Jedźcie~~ [→ Jeszcze] jedno pytanie: czy jest telefon?; W: Tak, jest też ~~dostąp~~ [→ dostęp] do internetu.; S: Dziękuję bardzo, przyjadę za ~~gościnę~~ [→ godzinę].

8 A Znajomi, przeprowadzce; ANGELA: pomoc; MAMI (M): Cieszymy; JAVIER: imprezie, nocny, wpaść; UWE: rozplanowane; M: Pasują

·11

1 Rzeczpospolita; leży; Środkowej; Graniczy; Niemcami; zachodzie; Czechami; Słowacją; Białorusią; wschodzie; Rosją; północy; duży; dziewiąty; względem; wielkości; Stolica; Warszawa; centrum; polityczne; mieszka; Prezydent; ważne; instytucje; Symbolem; Warszawy; syrena

2 leży; Morzem; Bałtyckim; którego; wpływa; Wisła; najdłuższa; rzeka; północnym; zachodzie; Bałtyku; leżą; wyspy; Wolin; Polski; się; turystyczne; Tatry; Zakopanem; ale; też; mniej; popularne; Beskidy; Sudety; południowym; zachodzie; Bieszczady; południowym; wschodzie; północnym; wschodzie; leży; piękny; Mazury; Kraina; tysiąca; jezior; zielonych

3 1. Pomorze Zachodnie; 2. Pomorze Gdańskie; 3. Mazury; 4. Suwalszczyzna; 5. Wielkopolska; 6. Kujawy; 7. Mazowsze; 8. Podlasie; 9. Śląsku; 10. Małopolska; 11. Podkarpacie

5 PODRÓŻNY (P): Przepraszam, jak ~~pojechać~~

[→ dojechać] do Białegostoku?; URZĘDNICZKA (U): Chwileczkę, zaraz sprawdzę. Musi pan ~~wyjechać~~ [→ jechać] najpierw do Warszawy i tam ~~przejść~~ [→ przesiąść] się w pociąg do Białegostoku.; P: Czy nie ma ~~pośredniego~~ [→ bezpośredniego] połączenia?; U: Niestety, nie.; P: O której mam ~~pierwszy~~ [→ najbliższy] pociąg do Warszawy?; U: O ~~5:20~~ [→ 15:20] z drugiego peronu.; P: Dziękuję pani.

6 B 1. podróżni, pospieszny, wjeżdża, trzeci; 2. przyjazd, jednocześnie, ulec; 3. osobowy, pierwszy, bieg; 4. przesyłki, wagonie; 5. lotniczego, Balicach, zająć

7 A Kraków, Sandomierz, Warszawa, Płock, Toruń, Bydgoszcz, Gdańsk, Opole, Wrocław, Zielona Góra, Szczecin; WISŁA: Dunajec, San, Wieprz, Pilica, Narew, Bzura, Drwęca, ODRA: Nysa Kłodzka, Bystrzyca, Bóbr, Nysa Łużycka, Warta; Morze Bałtyckie | B Wisła – 1047 km, Odra – 854 km

· 12

1 1. sto lat; 2. niech żyje; 3. jeszcze raz
2 B 1. podstawowej; 2. przy szkole.; 3. przeszła; 4. po bracie; 5. zakochacie się; 6. umarł; 7. pracujesz; 8. wciąż; 9. zginął; 10. wyjechali; 11. wyjść za
3 a 17.08.1777 r.; b 11.1999 r.; c w 1555 r.; d 14.06.1444 r.; e w 1666 r.; f 13.09.1333 r.
4 A wszy → wsi; przyprowadzili → przeprowadzili; wiec → więc; Doznaniu → Poznaniu; poszliśmy → poszłyśmy; Chciałyśmy → Chcieliśmy; poprać → pobrać; skoczyć → skończyć; place → pracę; murze → muszę; Czeszko → ciężko; prasować → pracować; biło → było; zoną → żoną; zeszłem → zeszłym; radzie → razie; cieczy → dzieci

· 13

1 MAMI (M): usiąść, zmęczona; ANGELA (A): jasne, wystarczy, M: nadzieję, powiedzieć, biegamy, A: przyjeżdżają, Londynu, sobie, oryginalnego, czego; A: mogą, zobaczyć, ciuchach; M: chyba, przecież; A: wyjątkowego; M: chyba, kostiumu; A: olśniewające
2 JULIA: obcasie, sukienkę, żakiet, spódnice, bluzę, podkoszulek, piżamę, rajstopy, skarpety, bieliznę, płaszcze, kapelusz, szalik, chustkę, czapkę, rękawiczki, kozaki; biżuterię
3 „STYL": spódnica, sukienka, rajstopy, skarpety, chustka; „ZORA": bluza, bielizna, kozaki; „FRANCJA ELEGANCJA": buty na obcasie, spódnica; „SZYK": podkoszulek, płaszcz, kapelusz, szalik; „ODZIEŻOWY": żakiet, piżama, biżuteria; „CZAR": płaszcz, czapka, rękawiczki

4 A 1. bawełniany; 2. w kratkę; 3. skórzanym; 4. cienki; 5. w paski; 6. złoty; 7. drugie; 8. wąski; 9. ciepły; 10. przezroczysta
6 B 1. dłuży; 2. węższy; 3. milszy; 4. szerzy; 5. szybsi; 6. nowszy; 7. cieńszy; 8. krótszy; 9. gorsi; 10. cichszy; 11. czystszy
7 B 1. przedziałek; 2. szczotki; 3. mycie; 4. strzyże; 5. fryzjer; 6. szatyn; 7. obciąć; 8. siwy; 9. grzywka; 10. czeszą

· 14

1 Ludzie, chodzą, różnych; Dużo, kondycję, motywacja, żeby, ćwiczyć; imponujące, mięśnie, sylwetkę; chcą, odchudzać, stosują, siłownia; ćwiczyć, niż; ćwiczenia, tłuszczową, spalać, wzmacniają, słabą, kondycję; oczywiście, wyszczuplają
2 1. Lekkoatleci, częściej, ćwiczyć, mięśnie, siłowni; 2. starszy, liczne, zmarszczki, mimiczne, czole, ust; 3. Położyć, brzuchu, wzdłuż, ciała, górze; 4. Może, zjadłaś, coś, nieświeżego, mieście, zatrułaś; 5. Proszę, zażywać, żołądkowe, przed, każdym, posiłkiem, przez, trzy; 6. Powinieneś, przeczytać, działania, niepożądane, przeciwwskazania
3 A 1. żołądek; 2. przeziębienie; 3. wysokie ciśnienie; 4. duszność; 5. zapalenie płuc; 6. zatrucie pokarmowe; 7. kości; 8. kaszel; 9. uszy; 10. mdłości; 11. gorączka; 12. szyja; 13. uczulenie | B CIAŁO CZŁOWIEKA: żołądek, kości, uszy, szyja; SYMPTOMY: wysokie ciśnienie, duszność, kaszel, mdłości, gorączka, uczulenie; DIAGNOZA: przeziębienie, zapalenie płuc, zatrucie pokarmowe
4 A 1. d; 2. h; 3. g; 4. f; 5. e; 6. b; 7. a; 8. i; 9. c | B włosy; uszy; usta; zęby; palce; ramię; piersi; plecy
5 A LEKARZ (L): uciąć → usiąść; PACJENTKA (P): Złe → Źle; L: Trzyma → Czy ma; P: sine → silne; L: wolał → bolał; P: raczę → raczej; P: mięsie → mięśnie; L: objawi → objawy, puca → płuca, oblać → ubrać, Czy śnienie → Ciśnienie; L: powinąć → podwinąć, czy śnienie → ciśnienie, przypiszę → przepiszę, dzwonienie → zwolnienie, uszku → łóżku; L: pobijać → popijać; L: przyjmie → uprzejmie

· 129

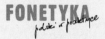

FONETYKA

„FONETYKA – polski w praktyce"
Wydanie pierwsze. Kraków 2020

Autor: Joanna Stanek
Redaktor merytoryczny serii: Iwona Stempek
Redaktor wydawniczy: Tomasz Stempek

W zbiorze wykorzystano teksty i ćwiczenia z serii
„POLSKI krok po kroku" autorstwa Iwony Stempek,
Anny Stelmach, Sylwii Dawidek i Anety Szymkiewicz.

Pragniemy serdecznie podziękować Pani Małgorzacie
Strzałkowskiej oraz wydawnictwu Media Rodzina za
zgodę na publikację wierszy: *Bąk, Buła, bibuła, Chrząszcz,
Cietrzew, Czyżyk, Dzięcioł, Goryl, Królik, Lula, Łoś, Osa,
Szczeniak.*

Wydawca: Polish-courses.com, ul. Dietla 103,
31-031 Kraków, tel. +48 12 429 40 51,
faks +48 12 422 57 76, e-polish.eu,
info@e-polish.eu

Opracowanie graficzne i skład: Joanna Czyż

Rysunki: Małgorzata Mianowska, Eliza Luty, 123RF;
Ilustracje: Joanna Czyż

Zdjęcia: © Adobe Stock, © 123RF;
Fot. J. Stanek: Anna Tarko Fotografia

Nagrania: Marcin Ochel; Czyta: Michał Chołka
oraz Karolina Kazoń, Kamila Kuboth, Ryszard Starosta,
Andrzej Popiel, Iwona Stempek

Druk: Beltrani / drukarniabeltrani.pl

ISBN: 978-83-953460-3-3

Do dalszego doskonalenia wymowy
polecamy **wiersze**
Pani Małgorzaty Strzałkowskiej
zebrane w książkach opublikowanych
przez wydawnictwo
MEDIA RODZINA Sp. z o.o.

MEDIA RODZINA Sp. z o.o.
ul. Pasieka 24, 61-657 Poznań
tel. 61 827 08 60, 827 08 50
mediarodzina.pl | mediarodzina@mediarodzina.pl

SIOSTRZENIEC SZCZEŻUJA WIECZERZA OBLĘŻENIE
WŁADYSŁAWOWO ŻYJĄCY DZIEWIĘĆDZIESIĄT ŻONĄ
MOŻLIWOŚCI SIENKIEWICZ CZESŁAW SZCZĘŚCIE
SZCZEBIOT NARZECZONA PIERZE LŻYĆ TEŚCIOWIE
PRZEZIĘBIENIE PÓŁNOCNO-WSCHODNI PSZCZÓŁKA
MIŚ USZATEK RŻEĆ DŁUGOSZ ŚCIEG WCZEŚNIEJSZY
WYCIECZKA GAŻA LEŻAJSK BUDŻET MUŁ KŁOPOT
OBELŻYWY WICEMISTRZ BĄDŹCIE RZĘSISTY
MAŁŻEŃSTWO WSTRĘT BIEBRZA CÓŻ SIÓDMY
ŁUKASZ KOŁDRA SZCZECIN POLSZCZYZNA SZELEST
PUSZCZYK SAMOOBSŁUGOWA PAŃSTWO GRUDZIEŃ
DROŻDŻÓWKA PRZEDSZKOLE PSZCZYNA GRAŻYNA
EJŻE! RABARBAROWE CHRZEŚCIJAŃSKI TOKARCZUK
UAKTUALNIENIE ŁOTYSZKA KSZCZOT KARKONOSZE
ŁUSKA JABŁUSZKO CZEKOLADOPODOBNY ,,DZIADY''
BIAŁYSTOK DĘBLIN PIĄTA CHRZCINY ŁÓDZKIE KIŚĆ
PODRÓŻNY KOŚCIUSZKO ŁABĘDŹ OŚMIOTYSIĘCZNIK
KILKANAŚCIE JEŻ WIĘC RÓŻYCZKA RYBOŁÓWSTWO
KOSZTELA UGRZĘZNĄĆ RODZEŃSTWO GWIŻDŻĄCY
ELŻBIETA ĆMA MIĘŚNIOWY POSTĘPY KAPUŚNIACZEK
GŁUSZA LUDOŻERCA UŻYTKOWANIE SIOSTRZENICA
SZWEDKA POCZĄTEK MIĄŻSZ KORONKOWA RĄCZKA